Golem

1 - MAGIC BERBER

Les auteurs

À eux trois, ils totalisent 148 livres, 8 ordinateurs, 7 enfants
et 6 mains. Toute leur enfance, ils ont joué aux mêmes jeux, lu
les mêmes romans. En même temps, ils ont pris un cahier et un stylo.
Lorris avait alors 14 ans, Marie-Aude 11 et Elvire 7.
Depuis, ils n'ont plus arrêté d'écrire. Lorris, dont les romans
explorent le passé comme l'avenir, navigue entre aventure, policier,
fantastique et science-fiction. Marie-Aude, qui aime faire rimer
amour et humour, a publié la majeure partie de son œuvre
à l'École des loisirs. Elvire, auteur d'*Escalier C* pour les adultes,
se métamorphose en Moka quand elle écrit pour les jeunes.
Tous trois ont eu envie de retrouver les jeudis de leur enfance
quand ils se demandaient : « À quoi on joue ? »
Pendant deux ans, ils ont écrit les cinq tomes de Golem.
À vous de jouer maintenant !

© Gérard Murail

Elvire, Lorris et Marie-Aude MURAIL

Golem

1 - Magic Berber

POCKET
jeunesse

Loi n° 49-956 du 16 juillet 1949 sur les publications
destinées à la jeunesse : avril 2002.

© 2002, éditions Pocket Jeunesse, département d'Univers Poche.

ISBN 978-2-266-11072-3

CHAPITRE PREMIER

UNE HEURE DE COURS
AVEC LES 5ᵉ 6

Ce matin du 6 janvier, Jean-Hugues de Molenne devait faire cours aux 5ᵉ 6. On avait donné au jeune professeur de français, tout récemment arrivé aux Quatre-Cents, la plus mauvaise classe de l'établissement.

« Un genre de bizutage », pensa Jean-Hugues en sortant ses affaires de son cartable. Son manuel, *Le français en 5ᵉ : textes et méthodes*, lui parut peser trois tonnes.

Il parcourut des yeux la salle de classe encore vide et lâcha un soupir d'angoisse. Si seulement Samir pouvait être malade !

Un rire dévastateur venu du fond du couloir le fit sursauter. Ça, c'était Mamadou, toujours hilare, gueulard, hâbleur. Pénible ! Pénible ! Jean-Hugues plongea un instant son visage entre ses mains. Mais il se ressaisit aussitôt. Aïcha et Nouria, les inséparables, venaient d'entrer.

— Bonne année, m'sieur ! gloussèrent-elles.

Allons, les filles de 5e 6 n'étaient pas irrécupérables... Jean-Hugues leur rendit leurs vœux sur un ton compassé. Ses collègues, plus expérimentés, l'avaient prévenu : « Ne jouez pas au copain avec vos élèves ou vous vous faites bouffer ! »

— Vous avez une belle veste, m'sieur, le complimenta effrontément Nouria. C'est le Père Noël qui l'a apportée ?

Jean-Hugues rougit malgré lui. C'était un cadeau de sa maman. Les 5e 6 le prenaient toujours par surprise.

Les autres élèves arrivaient par deux, par trois, s'interpellant, se bousculant. Enfin, Samir entra. Jean-Hugues baissa les yeux, sortit un stylo de sa trousse, ouvrit le cahier d'appel, souffla lentement en comptant, un, deux, trois...

— S'il vous plaît, Samir, asseyez-vous, dit-il à tout hasard et sans même relever les yeux.

Samir mettait généralement une dizaine de minutes à se choisir une place. À l'en croire, Farida puait le couscous, Stéphane puait des baskets, Zeinul le nul, c'était pas la peine de copier dessus et Mamadou la choure pouvait te tirer ton slip sans que tu t'en aperçoives.

— Hé vas-y ! protesta Samir en s'asseyant précipitamment sur Farida. Chui z'assis depuis dix minutes, m'sieur. Même que ma chaise, elle pue le couscous.

Tout le monde rigola, sauf Farida qui se mit à taper sur Samir en le traitant de tous les noms.

— M'sieur, y a ma chaise qui parle ! hurla Samir en se relevant, l'air horrifié. C'est la révolte des chaises, m'sieur.

Jean-Hugues compta mentalement jusqu'à dix pour se refroidir.

— Samir, si vous commencez aussi fort, vous allez prendre la porte avant que j'aie fait l'appel, dit-il, la voix monocorde.

Crier ne servait à rien avec Samir. Menacer non plus, d'ailleurs.

— Y a plus de porte, m'sieur, répondit Samir, toujours épouvanté. Sur la tête du couscous à Farida ! C'est la révolte des portes, m'sieur !

Tout le monde rigola, même Farida.

— Ça va aussi être la révolte des feupros ! hurla Jean-Hugues, oubliant, un : qu'on ne crie pas avec Samir, deux : qu'on ne parle pas verlan devant les élèves.

— Aouah ! Comment que vous parlez caillera, m'sieur ! fit semblant de s'extasier Samir.

Ce fut le délire général dans la classe de 5e 6. On s'en tapait sur les cuisses.

— Taisez-vous ! Asseyez-vous, Samir ! Sortez vos livres, je fais l'appel, dit Jean-Hugues avec la précipitation qu'on met à éteindre un début d'incendie. Badach !

— Présent, répondit sagement Majid, qui avait un peu pitié du jeune prof.

L'appel se poursuivit sans nouvel incident.

Samir sortit les oreillettes de son Walkman. Jean-Hugues allait peut-être avoir un quart d'heure de répit. Il pourrait faire ce cours de français sur l'émetteur, le récepteur et le message qu'il repoussait de semaine en semaine. Il jeta un coup d'œil sur sa classe.

Nouria faisait admirer ses nouvelles petites tresses à sa voisine de table. Majid avait posé devant lui un genre de prospectus et lisait, les sourcils froncés. Samir tapotait sa table sur un rythme de rap.

— Bien. Aujourd'hui, nous allons voir la leçon qui est en page 12 de votre manuel, commença Jean-Hugues sans avoir trop l'air d'y croire. Nouria, c'est quand vous voulez…

Nouria était en train de tresser les cheveux de sa voisine.

— Mais c'est Aïcha qui m'a demandé ! couina Nouria en donnant une bourrade à sa copine.

— Mais vas-y, touche-moi pas ! protesta Aïcha.

— Bon, mais on fait cours ou quoi ? intervint Samir en décrochant ses oreillettes. Page 12, page 12…

Il se mit à feuilleter frénétiquement son manuel puis à lire non moins frénétiquement :

— « La communication écrite ou orale établit une relation entre l'émetteur et le récepteur qui utilisent un code commun pour transmettre un message… » M'sieur, m'sieur, ils parlent de NTM dans le manuel. M'sieur, j'y crois pas, sur la tête des verrues à Farida !

— Comment ça, ils parlent de NTM ? s'interrogea Jean-Hugues à haute voix.

— « Transmet le message », m'sieur, c'est le Nord qui Transmet le Message. NTM ! M'sieur, j'ai tout compris ! Le « code commun », c'est le rap, et le récepteur, c'est Skyrock.

— Arrêtez de dire n'importe quoi, Samir, ragea Jean-Hugues.

Le cours continua dans l'indifférence générale, chacun vaquant à ses petites affaires.

— Majid, s'énerva brusquement Jean-Hugues, je ne voudrais pas vous déranger dans votre lecture, mais qu'est-ce que c'est que ce prospectus ?

Le jeune Berbère releva la tête et gratifia son prof d'un grand sourire.

— C'est pas un prospectus, m'sieur. J'ai gagné l'ordinateur.

— Hé vas-y ! le rembarra Samir. Tu gagnes plus à fermer ta gueule.

— Toi-même, répondit Majid nonchalamment. C'est écrit sur le papier, m'sieur. J'ai fait le concours des Trois Baudets à ma mère et j'ai gagné l'ordinateur. Enfin, je crois…

Il s'était soulevé de sa chaise, tendant le papier vers son prof.

— Apportez-moi ça, se résigna Jean-Hugues.

Le jeune homme eut une illumination pédagogique en voyant la lettre devant lui.

— Regardez, dit-il à sa classe de 5e 6, ceci est un message. L'émetteur, c'est les Trois Baudets. Le récepteur, c'est Majid.

— Non, c'est un ordinateur, corrigea Mamadou.

— Ce bouffon ! le cingla Samir. Le prof, il t'explique la leçon page 12. Allez-y, m'sieur.

Encouragé par Samir, Jean-Hugues poursuivit son explication.

— Nous allons étudier ce que dit le message. Par chance, les Trois Baudets et Majid utilisent un code commun, à savoir la langue française.

— Tu nous avais pas dit ça, Majid, remarqua Samir.

— Bouffe-toi-la, la tienne de langue ! cria Mamadou du fond de la classe.

Jean-Hugues se demanda un instant si ses élèves et les Trois Baudets utilisaient bien le même code, mais il enchaîna tout de même :

— Donc, la lettre dit ceci : « Cher monsieur Badach… »

Un énorme rire secoua la salle de classe. Sébastien serra la main de Majid en l'appelant « cher monsieur ». Non, les Trois Baudets, quel bouffon !

Jean-Hugues lut la suite sans s'interroger sur le caractère comique du code utilisé :

— « Nous avons le plaisir de vous annoncer que vous êtes l'heureux gagnant d'un ordinateur Nouvelle Génération MC. Celui-ci sera livré à votre domicile dès que vous nous aurez donné confirmation de la bonne réception de notre lettre. »

— C'est quoi, cette embrouille ? demanda Mamadou.

— Ce n'est pas une embrouille, répondit Jean-Hugues. Il faut simplement que Majid, devenu l'émetteur, envoie un message aux Trois Baudets, devenu le récepteur.

Le professeur se tourna vers son jeune élève qui ne l'avait jamais écouté avec une attention aussi soutenue, presque douloureuse.

— Tu écris aux Trois Baudets pour leur dire que tu as bien reçu leur lettre.

— Mais… mais c'est vrai pour l'ordinateur? balbutia Majid, qui hésitait encore entre triomphe et défiance.

— Toute communication a une fonction, répondit Jean-Hugues, jouissant du silence de sa classe. L'émetteur, quand il communique, a un objectif. Selon l'objectif, la fonction de la communication est différente…

Bouche ouverte, toute la classe de 5e 6 avalait un morceau bien indigeste de linguistique, prévu au programme.

— Dans le cas qui nous occupe, continua Jean-Hugues sans se presser, la fonction est dite « référentielle »…

— Mais, m'sieur, l'ordinateur? supplia Majid en se tortillant de détresse.

— Nous y arrivons. La fonction est « référentielle » quand l'émetteur fournit une information. Et l'information, la voici…

Ne pouvant réfréner plus longtemps la gaieté de ses vingt-six ans, Jean-Hugues lança à tue-tête :

— Majid a gagné l'ordinateur !

— Ouais ! hurla toute la classe.

— *We are the champions!* entonnèrent Aïcha et Nouria en lançant alternativement les poings vers le plafond.

— Va falloir que les Badach achètent une prise électrique, ricana Samir.

— Samir, vous êtes jaloux, l'épingla son prof.

— Aouah, Samir, comment qu'il t'a mis à l'amende, le prof, se moqua Farida.

— Toi, je te massacre à la sortie !

Justement, la sonnerie retentit. Majid fit un grand sourire à Jean-Hugues.

— Merci, m'sieur !

Un brave gosse, celui-là. D'ailleurs, individuellement, les 5e 6 étaient tous de braves gosses. Jean-Hugues croisa le regard provocant de Samir... « Presque tous de braves gosses », rectifia-t-il.

Des bruits inquiétants couraient sur l'adolescent. Il traînait dans les caves avec des « grands » de la cité. Petit trafic de drogue ou d'objets volés ? Ce Samir, il faudrait que Jean-Hugues le coince, un jour. Mais jusqu'à présent, il n'avait même pas pu mettre la main sur ses parents. À croire qu'il n'en avait pas.

Majid, lui, en avait. Une maman toute ronde et souriante, douce au cœur comme la fumée du thé à la menthe, un papa qui travaillait sur les marchés dans la journée et nettoyait des bureaux, à la nuit tombée. M. Badach existait sûrement puisqu'il avait fait sept fils à sa femme. Mais c'était presque la seule preuve que Majid eût de son existence. Majid était le septième fils, haut comme trois pommes et malin comme le Petit Poucet en personne.

— *Emmé, hayé red* [1]*!* cria-t-il en poussant la porte à toute volée.

Maman Badach sortit de sa cuisine, lâchant dans le salon un chaud tourbillon d'épices, de miel et de menthe.

— Majid, ti parles courrec le français, gronda-t-elle son fils. Parce que moi, il faut que j'apprenne le français courrec.

Majid piqua un bisou sur la joue de sa mère, attrapa une corne de gazelle toute poudrée et s'écria :

— Emmé, on va avoir l'ordinateur. Le prof de français l'a dit.

— Ça, ci bon, l'ordinateur, approuva Emmé, ti seras primier de l'école.

Elle riait, un peu moqueuse, mais dévorant son fils des yeux. Majid, c'était le septième fils, la merveille des merveilles ! Dans la tête de Majid, la merveille des merveilles, c'était l'ordinateur...

1. « Maman, je suis là ! » en berbère.

CHAPITRE II

ALORS, CET ORDINATEUR ?

Aux Quatre-Cents, Majid habitait dans le bâtiment des Colibris qu'on appelait aussi « Cité couscous » parce que les locataires étaient des Algériens et des Marocains. Il n'y avait que la petite Aïcha qui faisait tache. Noire.

Les habitants faisaient tout le pittoresque des Quatre-Cents car, quel que soit leur nom, toutes les HLM se ressemblaient sinistrement. C'étaient de longues barres grises de béton posées parmi ce qui aurait dû être des pelouses et des bosquets. Mais ballons de foot et Mobylette étaient passés par là. Ce 26 janvier au matin, tout le monde marchait dans la bouillasse, y compris les livreurs des Trois Baudets.

— C'est là, fit l'un d'eux, en repoussant sa casquette sur son front avec une grimace de dégoût.

— J'espère que l'ascenseur marche. Douze étages, je me les fais pas à pied, ronchonna un autre.

Les livreurs des Trois Baudets étaient bien trois. On leur avait dit que les Quatre-Cents n'étaient pas sûrs et qu'ils risquaient de se faire dépouiller de l'ordinateur avant d'avoir sonné chez les Badach.

Le hall d'entrée des Colibris puait la pisse et les murs étaient couverts de tags. Mais l'ascenseur fonctionnait et, quand ils sonnèrent chez les Badach, les livreurs n'avaient fait l'objet d'aucune attaque à main armée. Majid leur ouvrit la porte et un sourire lui illumina les yeux. Un sourire de pur bonheur à faire fondre au moins deux des Trois Baudets.

— Emmé, c'est l'ordinateur !

On aurait dit que Majid annonçait la reine d'Angleterre en visite aux Quatre-Cents. Maman Badach sortit précipitamment de la cuisine.

— Oh, là, là, ci bien de la peine pour vous, bafouilla-t-elle, toute gênée que ces trois messieurs se soient dérangés pour elle. Assiyez, assiyez… J'ai fait le thé. *Majid, serr aoued ataye*[1] !

1. « Va chercher le thé ! » en berbère.

Les livreurs, éberlués, durent s'asseoir, boire le thé à la menthe, manger les gâteaux au miel spécialement préparés pour eux et reprendre du thé à la menthe, si sucré qu'il en brûlait les papilles.

— Encore un pitit gâteau ? les supplia Mme Badach.

Les trois hommes étaient écœurés de miel et d'huile.

— Non, ça va, madame, merci, c'est très gentil...

— Ji mets un peu di gâteaux pour les enfants, dit Mme Badach en fourrant des cornes de gazelle et des pâtes d'amande dans un sac plastique de chez Mondiorama.

Les jeunes livreurs étaient parfaitement célibataires, mais ils repartirent chargés de sucreries pour leur multitude de fils et de filles.

— Finalement, ils sont plutôt sympas, ici, remarqua un des livreurs en s'installant au volant de sa camionnette.

Au même instant, il aperçut Samir qui traînait au bas de l'immeuble. Le jeune garçon lui adressa un superbe bras d'honneur et fit mine de ramasser un caillou.

— Ouais, bon, on traîne pas...

Au douzième étage, Majid finissait d'admirer le carton d'emballage.

— Ti l'ouvres pas ? s'étonna sa mère.

— Sssi, dit Majid mollement.

Lui si vif, si décidé, il hésitait sur le seuil d'un monde inconnu. L'ordinateur ! À l'instant où il posa les mains sur le carton, Majid regretta profondément l'absence de ses six frères.

L'aîné, Abdelkarim, était garçon de café « Au rendez-vous des postiers », à Marseille. Monir, le cadet, tenait une épicerie à Montpellier. Le troisième, Omar, venait de perdre son emploi aux usines Peugeot, à Montbéliard. Le quatrième, Haziz, qui avait eu de mauvaises fréquentations aux Quatre-Cents, avait disparu dans la nature, au grand chagrin de sa maman. Moussa, le cinquième frère, aidait son oncle à tenir une épicerie à Barbès. Brahim, le sixième, qui ne faisait rien à l'école et menaçait de tourner aussi mal que Haziz, avait été renvoyé au bled sur ordre de papa Badach. Et c'était ainsi que Majid, le septième frère, se retrouvait seul en tête à tête avec son ordinateur.

Dans le carton, il y avait un genre de téléviseur dont Majid ignorait même qu'il portât le nom de « moniteur ». Il était d'un beau bleu électrique, les ordinateurs Nouvelle Génération MC jouant sur toute une gamme de couleurs. Le clavier était frappé d'un petit M régnant sur un globe terrestre. C'était le logo de la marque MC. Mme Badach mit un napperon sur la table de la salle à manger.

— Pose là, dit-elle avec un grand respect dans la voix.

L'ordinateur, ça rendait intelligent. Si Haziz avait connu l'ordinateur, il n'aurait pas fait toutes ces bêtises.

— Où c'est la tilicommande ? s'informa Mme Badach.

— Ça marche pas comme ça, répondit sèchement son fils.

Il venait de réaliser que sa mère n'y connaissait rien en ordinateurs. Et le soupçon lui était venu que, d'une manière générale, Mme Badach ne connaissait rien à rien.

Du carton, Majid sortit le clavier, la souris, les haut-parleurs, les câbles électriques et l'unité centrale, chaque pièce le plongeant dans une perplexité grandissante. Un énorme guide accompagnait l'ordinateur. Majid le feuilleta jusqu'à tomber sur la partie en langue française. « Le code commun », comme aurait dit M. de Molenne. Malheureusement, les rédacteurs du guide n'avaient pas du tout pensé à un « récepteur » de douze ans. C'était à peu près aussi incompréhensible que le manuel de français des 5e 6.

— Pfff, soupira Majid en rejetant le gros livre.

— Ci quel bouton pour apprendre le français ? demanda timidement Mme Badach.

— Mais j'en sais rien ! se désespéra Majid.

— Lis dans le livre, ci marqué dans le livre, dit Mme Badach.

— Tu sais lire, toi ? cria Majid.

C'était la première fois qu'un tel reproche sortait de sa bouche.

— J'ai pas allé à l'école, mon fils, répondit dignement sa maman.

Et elle disparut dans la cuisine. Au même moment, on sonna à la porte. Peut-être étaient-ce les livreurs qui revenaient effectuer le branchement comme ils avaient fait pour le lave-vaisselle ?

— Samir !

Le garçon vivait au premier étage des Colibris. Majid faillit lui claquer la porte au nez.

— Alors, ça y est, t'as l'ordinateur ?

Une curiosité jalouse tenaillait Samir. Majid le laissa entrer avec un dernier espoir :

— T'en as un, toi, d'ordinateur ? Parce que je sais pas comment ça marche…

Samir tapota le clavier, souleva la souris, examina les haut-parleurs, feuilleta le manuel avec des mimiques de connaisseur.

— Bien, dit-il, bien.

Majid reprenait confiance.

— Alors ? fit-il.

— T'as qu'à mettre des décalcos de poissons sur l'écran, ça te fera un aquarium.

La mésaventure de Majid fit le tour des Quatre-Cents. Dès le lendemain, les camarades ne disaient plus « bonjour » à Majid, mais :

— Alors, ton ordinateur ?

Mme Badach l'avait remis dans le carton, avec une certaine rancune. En classe, Jean-Hugues eut l'imprudence de demander à Majid :

— Alors, cet ordinateur ?

Les 5e 6 éclatèrent de rire et les moqueries fusèrent.

— M'sieur, y a le chat à Majid qu'a mangé la souris !

— M'sieur, la mère à Majid, elle a mis l'antenne dessus pour avoir Télé Couscous !

Majid bondit de sa chaise et s'élança vers Mamadou, auteur de cette dernière plaisanterie.

— Traite pas ma mère !

Jean-Hugues se leva lui aussi précipitamment.

— Majid, retournez à votre place !

— Du sang ! Du sang ! scanda Samir.

— Samir, prenez la porte, fit Jean-Hugues sans grande illusion. Majid, vous viendrez me voir à la fin du cours. Mamadou, sortez-moi votre carnet de correspondance.

Samir ne bougea pas et Mamadou déclara que son carnet était perdu depuis longtemps.

Quand la sonnerie retentit, Majid tenta une sortie discrète.

— Majid! le rappela Jean-Hugues.

— Qu'est-ce qu'y a?

À la façon de tous les élèves de 5ᵉ 6 lorsqu'ils se sentaient en faute, Majid avait avancé le front vers son prof comme pour lui donner « un coup de boule ».

— Vous avez eu du mal à installer votre ordinateur, je crois?

Majid fronça les sourcils, l'air de plus en plus mauvais.

— Je n'ai pas l'intention de me moquer, précisa Jean-Hugues.

Majid se détendit.

— J'y connais pas grand-chose aux ordinateurs.

— Et votre père ne pourrait pas…

Majid regarda par la fenêtre.

— Et si je vous aidais? proposa Jean-Hugues.

C'était la première fois qu'il s'aventurait ainsi dans la vie privée d'un de ses élèves.

— Sérieux, m'sieur?

— Eh bien, je m'y connais un peu en informatique.

Jean-Hugues passait toutes ses soirées de célibataire à naviguer sur Internet.

— Emmé, c'est mon prof! annonça Majid en lançant son cartable à travers le salon.

Mme Badach sortit de sa cuisine, émue et souriante. L'école venait à elle, elle qui n'y était jamais allée!

— « Monsieur le prof », corrigea-t-elle son fils. Parle courrec le français. Bonjour, monsieur, comment tu vas?

Jean-Hugues hésita. Fallait-il tendre la main ou embrasser sur les deux joues? Il resta planté tout raide.

— Ça va, madame Badach. Alors, cet ordinateur?

Mais le jeune homme n'allait pas s'en tirer à si bon compte. Les gâteaux étaient prêts. Mme Badach versa d'un trait le thé à la menthe en éloignant peu à peu le bec de la théière des petits verres colorés, sans qu'une seule goutte tombât à côté.

— Et Majid, il travaille, hein? demanda-t-elle en s'asseyant en face du professeur. Moi, ji lui dis: « Travaille, travaille. »

Le jeune garçon ne fichait strictement rien.

— Il pourrait faire un petit effort, répondit Jean-Hugues avec beaucoup de modération.

— Ti entends, Majid? Fais un pitit effort!

Elle s'efforçait de paraître sévère, mais la tendresse lui noyait les yeux dès qu'elle regardait son fils. Majid tapota le moniteur éteint pour attirer l'attention de son professeur sur un autre sujet.

— Il est superbe, admira Jean-Hugues. Je n'ai encore jamais vu un moniteur de cette couleur. Et puis Nouvelle Génération MC, c'est le top du top !

— Ci bon pour l'école, l'ordinateur, hein ? demanda Mme Badach, pleine d'espoir.

Jean-Hugues savait parfaitement que Majid ne se servirait de son ordinateur que pour dégommer, tronçonner, faire gicler du sang et de la cervelle, bref pour s'amuser.

— Il faudrait Internet, suggéra-t-il.

— Ah oui ? Ci mieux ? fit Mme Badach.

— Elle y connaît rien, dit Majid à mi-voix.

Il avait honte. Honte du jour gris qui tombait dans le salon, du napperon sous l'ordinateur, de l'ignorance de sa mère, et il était fier au point d'avoir honte de sa honte.

Il lui fallait Internet. Internet lui changerait la vie. Mais il ne savait pas encore à quel point...

CHAPITRE III

MAGIC BERBER

Jean-Hugues lisait les fiches de lecture de sa classe de 5ᵉ 6 et passait sans transition du fou rire au désespoir.

— Ah ! Nouria, marmonna-t-il. Alors… Où est Aïcha ?

Les deux filles rendaient toujours les mêmes devoirs sans avoir l'air de soupçonner que cela s'appelait tricher. Pour Jean-Hugues, c'était une correction de moins à faire.

Aïcha et Nouria avaient choisi les *Dix petits nègres* d'Agatha Christie et elles avaient écrit : *C'est un roman policier. J'ai bien aimé. J'ai pas compris pourquoi il a tuer et le début c'est trop long. Aussi les personages sont méchant et j'aime pas les romans policiers. Autreman, c'est bien.* Aïcha, la petite Malienne, avait ajouté une phrase de son cru : *On dit pas nègre on dit Black parce que nègre ça fait raciste.*

— « Dix petits Blacks », murmura Jean-Hugues.

Amusé, il mit la moyenne aux deux filles puis il jeta un regard languissant vers son ordinateur dont l'écran brillait jour et nuit. C'était là son autre vie, son autre monde. Ding. L'ordinateur venait de tinter. « Majid se connecte », songea Jean-Hugues, et cette pensée lui tira un sourire.

En quelques leçons particulières, le gamin était devenu un internaute accompli. Majid était nul en français et il avait sûrement rendu une copie atterrante. En informatique, il avait absorbé en quelques semaines ce que d'autres mettent plusieurs mois à assimiler. Jean-Hugues lui avait donné son adresse IP : 194.129.64.221 [1].

Quand Majid se connectait, il commençait par déposer un message sur l'écran de son prof. Mais le jeune homme ne voulait pas se laisser distraire. Il avait encore un gros tas de fiches à corriger. Il chercha celle de Majid.

Le garçon avait choisi *L'Île du Crâne* d'Anthony Horowitz et il avait tranquillement recopié

1. Toute machine connectée au réseau Internet a une adresse IP (Internet Protocol).

la quatrième de couverture : *David Eliot vient d'être renvoyé du collège. Il est aussitôt expédié dans une étrange école, sur la sinistre île du Crâne. Un roman plein d'humour... noir. À partir de 11 ans.*

Jean-Hugues écrivit en haut de la copie : *Vous avez oublié le code barre*, puis, hésitant à mettre le zéro qui s'imposait, il releva la tête. L'écran brillait dans le demi-jour de la pièce.

Sans réfléchir à ce qu'il faisait, Jean-Hugues quitta son bureau et se dirigea vers l'ordinateur. Il y avait bien un message de Majid. Majid qui devenait « Magic^Berber » sur IRC[1]. L'écran affichait :

`<Magic^Berber>` salut ! ça va ? j'ai pas de
    travaille ce soir. On peux joué ?

L'orthographe de Majid ne s'améliorait pas lorsqu'il pianotait sur le clavier. Jean-Hugues résista à la tentation de répondre. Il ne devait pas jouer. Il avait du travail, lui. Un nouveau message tomba.

`<Magic^Berber>` ho vous éte la ? je sai que
    vous éte là répondez moi. soi pas chien.

---

1. Internet Relay Chat (prononcez tchat), c'est l'endroit du réseau où l'on peut bavarder soit avec des inconnus soit en privé, avec un ami.

Jean-Hugues tressaillit devant le brusque passage au tutoiement. Le jeune homme se souvenait des conseils de ses collègues : pas de copinage avec les élèves. En conséquence, il avait interdit à Majid de le tutoyer sur l'écran et de l'appeler par son prénom. Majid l'appelait donc par son surnom, Caliméro, ce qui n'était pas franchement mieux.

<Magic^Berber> ho caliméro une petite parti
    de counter strike?

Jean-Hugues réprima un ricanement et s'assit à califourchon sur sa chaise devant l'ordinateur. Counter-strike, c'était ce qu'on pouvait faire de plus bourrin en matière de jeux vidéo. Et Jean-Hugues était connaisseur ! Sans se contrôler davantage, il tapa sur son clavier :

<Caliméro> Je rentre du collège et je trouve
    votre message. Vous êtes sûr d'avoir
    fini votre travail pour demain?

Il appuya sur la touche Entrée et, la tête appuyée sur ses bras croisés, attendit paresseusement que tombe la réponse.

<Magic^Berber> gro menteur! vous étié là.
    vous envoyié la baston?

Jean-Hugues se mit à rire et, les yeux déjà brillants d'excitation, il tapa :

<Caliméro> Attention, j'envoie la sauce!
    Mais pas plus d'un quart d'heure.

Une heure plus tard, Jean-Hugues tirait toujours sur les méchants terroristes, les oreilles en feu, le cerveau en bouillie, imitant les détonations, *touvv*, *touvv*, et ponctuant ses défaites d'un « Je m'ai fait eu ! » déchirant.

— Tu es tout seul ? s'étonna une voix derrière lui.

— Hmm ? Oui… presque, marmonna Jean-Hugues, vaguement gêné d'être surpris en flagrant délit de puérilité par sa maman.

— Je vais faire les courses à Mondiorama, ajouta Mme de Molenne, avec un léger reproche au fond de la voix.

— Okay, répondit son fils machinalement. Mais quel bâtard !

— Pardon ?

— Non, non, ce n'est pas pour toi, précisa Jean-Hugues. Tu veux que j'aille faire les courses à ta place ? Tiens, prends ça ! *Touvv ! Touvv !*

— Ça m'ennuierait de te déranger, répondit Mme de Molenne, avec, cette fois, une légère ironie au fond de la voix.

Le jeune homme poussa un soupir en entendant se refermer la porte. Sa mère l'avait déconcentré. Il allait perdre. Au moment même où il se ressaisissait, son écran devint uniformément rouge. Rouge sang.

— Mais c'est quoi, ça ? s'emporta Jean-Hugues.

Une rafale de violons, venue d'on ne savait où, couvrit le bruit des mitraillettes. Quelques lettres noires apparurent, bavant sur l'écran, et s'effacèrent aussitôt. Jean-Hugues, qui s'énervait sur sa souris, n'y prit pas garde. L'instant d'après, tout avait disparu, mais l'ordinateur était déconnecté. Y avait-il eu fausse manœuvre du gamin ou du serveur ?

— C'est n'importe quoi ! s'emporta Jean-Hugues.

Et surtout, il n'avait plus d'autre choix que de retourner à son travail.

Majid avait cours de français, le lendemain matin. C'était devenu pour lui un véritable supplice. Il avait peur de montrer aux autres par un geste ou un regard qu'il était du côté du prof. Il supportait de moins en moins l'insolence des filles, les gueulantes de Mamadou, les piques de Samir. Il voyait, minute après minute, se décomposer le malheureux Caliméro et il avait envie de crier :

— Mais lâchez-le, quoi !

Ce matin-là, Majid souhaitait parler en particulier avec Jean-Hugues parce qu'il était arrivé un drôle de truc à son ordinateur et à la bouilloire électrique de sa mère. Mais si on le voyait discuter avec le prof, il aurait droit au titre de « gros bouffon », généralement réservé à Sébastien.

— Bonjour, m'sieur ! claironna-t-il, en entrant dans la classe.

Magic Berber et Caliméro se connectèrent au premier regard. Jean-Hugues haussa les sourcils, ce qui signifiait : « Qu'est-ce qui s'est passé, hier soir ? » Majid posa le cahier d'appel sur le bureau et chuchota :

— C'est rétabli chez vous ?

— Oui, souffla Jean-Hugues qui, tout aussitôt, s'écria : Samir, asseyez-vous ailleurs que sur Farida !

— Non mais ça va, m'sieur. Elle est d'accord !

Jean-Hugues ferma les yeux de fatigue anticipée. C'était reparti pour une heure de corrida. À chaque point marqué, les gamins ne crieraient pas « olé ! » mais « aouah ! ».

— Sortez une feuille, dit Jean-Hugues, totalement démotivé. On fait une dictée.

— Oh non, m'sieur, pitié, pitié ! supplièrent Nouria et Aïcha, les mains jointes.

— J'ai toujours moins quarante avec vos dictées ! beugla Mamadou. C'est même pas la peine que j'écris ! Tu me mets la note tout de suite.

— Mamadou, ça suffit ! s'emporta Jean-Hugues. Donnez-moi votre carnet.

— Mais je vous ai déjà dit que je l'ai perdu, répondit le grand Black sur un ton indigné. PERDU ! Comprendo ?

Jean-Hugues eut la sensation de toucher le fond.

— Bon, on la fait, cette dictée ? le soutint Majid.

Caliméro lui adressa un bref signe de tête complice et, la seconde suivante, Majid se prit une tape sur le sommet du crâne. C'était Zeinul, son voisin de derrière.

— T'aimes ça, les dictées, gros bouffon ?

Voilà. C'était exactement ce que Majid redoutait. Se faire traiter comme Sébastien, le seul bon élève de 5e 6.

Jean-Hugues commençait à connaître sa classe. S'il réprimandait Zeinul pour son geste, toute la classe allait faire : « Aouah, faut pas touche à Majid ! » Il enchaîna donc en dictant :

— « Une promenade dans la neige »… C'est le titre. Majid, vous vous retournez. Vous réglerez votre problème avec Zeinul à la récré.

— Y a un point après « récré » ? demanda Samir qui était en train d'écrire : « vous réglerez votre problème avec Zeinul… »

— Je ne dictais pas, Samir, fit Jean-Hugues, le ton de plus en plus détaché. Maintenant, je dicte. « J'ai connu virgule enfant virgule le bonheur de l'explorateur… » Mamadou, soyez plus discret quand vous trichez ! « Le bonheur de l'explorateur qui s'enfonce… »

— Ça va trop vite ! Ça va trop vite ! gémirent Nouria et Aïcha.

— C'est quoi après « bonheur » ? s'informa Miguel à la cantonade.

— De l'explorateur ! cria Mamadou du fond de la classe.

— « Le bonheur de l'explorateur », reprit Jean-Hugues comme si tout ce qui se passait dans sa classe était parfaitement dans les normes, « l'explorateur qui s'enfonce dans une terre vierge… »

— Aouah, Farida, on parle de toi ! lança gaiement Samir.

Pendant cinq minutes, la classe de 5e 6 fut pliée de rire et incapable d'écrire un seul mot.

Le soir venu, Jean-Hugues sortit les dictées de son cartable. Il chercha tout de suite la copie de Sébastien et lui mit 18. Puis il se prépara à aligner les zéros. La copie de Magic Berber lui réservait une surprise. Le jeune garçon avait écrit : *Hier j'ai vu un truc sur mon ordi quand on jouait. cétai une image rouge sang avec des létre noir comme si cétai le titre dun jeu. Le titre cétai un genre de mot comme Gogol mais jai pas bien lu. Le pire cétai la musique comme du violon mais qui fet peur. Jai eu peur et jai apelé ma mère. Mai elle a eu peur aussi parceque sa bouyoir électric elle a fet un éclair et elle a cramer. Cé tout.*

Jean-Hugues dut s'y reprendre à deux fois pour déchiffrer le texte. Puis il écrivit en haut de la copie : *Si c'est la dictée, c'est zéro. Si c'est une rédaction, quelle imagination !* Cédant à son tempérament gamin, il nota Majid : 16 sur 20.

CHAPITRE IV

ET QUE ÇA SAUTE !

La maman de Majid était contrariée. Sa bouilloire électrique ne marchait plus. C'était arrivé assez bizarrement.

La veille Majid jouait dans le salon sur son ordinateur. Mme Badach entendait alterner les cris de triomphe et les pires grossièretés, d'ailleurs sans s'émouvoir. Pour elle, c'était du français courrec tant que Majid jouait avec son professeur. Mme Badach imaginait qu'un long fil électrique enfoui sous le bitume reliait l'ordinateur de son fils à celui de M. de Molenne. Du coup, elle se sentait un peu moins chez elle et craignait de couper le courant chez M. le professeur quand elle éteignait son plafonnier.

Ce soir-là, tandis qu'elle s'activait dans la cuisine, en attendant de pouvoir prendre son thé, elle entendit un grand cri de frayeur dans le salon.

— Emmé ! hurla Majid.

Au même moment, une étincelle jaillit de la bouilloire électrique et l'odeur du plastique brûlé se répandit dans la cuisine.

— Majid ! cria Emmé.

Tous deux se précipitèrent l'un vers l'autre.

— Qu'est-ce qu'il y a ?

Ils tentèrent de s'expliquer. Majid raconta ce qu'il avait vu sur son écran d'ordinateur puis il examina la bouilloire.

— Ben, elle est niquée.

Mme Badach était d'autant plus contrariée que la bouilloire était un cadeau récent de M. Badach. Elle se rendit à Mondiorama où il l'avait achetée et avisa un vendeur en veston rouge qui s'appliquait à ne rien faire, les bras ballants et les yeux dans le vague.

— Bonjour, monsieur, comment tu vas ? fit-elle bien poliment.

— Et qu'est-ce qu'elle veut, la Fatma ? répondit le vendeur avec le plus évident mépris.

— Ci pour la bouilloire, monsieur. Mon mari vient de l'acheter et elle est niquée.

Le vendeur arrondit les yeux. Comme Mme Badach lui tendait la bouilloire électrique, il la prit, vit le plastique fondu et dit d'un ton de pitié :

— Écoute, Fatma, si c'est électrique, ça se met pas sur le feu. Tu comprends ?

Mme Badach comprenait parfaitement. Que le vendeur était raciste. Et qu'il la prenait pour une imbécile.

— Merci beaucoup, monsieur, dit-elle avec autant de douceur que de fierté. Mais je suis pas aussi bête que ti crois. Et je m'appelle pas Fatma.

Quand elle arriva au bas de chez elle, sans avoir laissé sa bouilloire à réparer, elle trouva l'ascenseur en panne. Elle eut un bref instant l'impression qu'on lui en voulait. Mais Majid arriva alors du collège, le sac sur l'épaule, avec son air de petit homme et le cœur d'Emmé fondit plus vite que sa bouilloire. Elle aurait voulu dire à son fils : « Tes yeux brillent comme l'étoile, je pense à toi toujours, quand tu dors, quand tu pars, quand tu reviens. » Elle se contenta de relever le col de son blouson en demandant :

— Ti as pas froid, ce matin ?

— Ah, merde, l'ascenseur est en panne ! répliqua l'insouciant Majid.

Comme il montait les premières marches avec sa mère, il entendit dans son dos un petit pas qui le fit se retourner. Aïcha, sa copine de classe, arrivait à son tour.

— C'est en panne, fit Majid pour dire quelque chose.

— Ça fait du sport, répliqua la petite Malienne pour dire aussi quelque chose.

Majid fit un effort pour trouver la phrase suivante :

— C'est bon pour la santé.

Ils rirent tous les deux. Ils se guettaient l'un l'autre depuis quelque temps. Majid ne s'avouait pas encore qu'il était amoureux. Mais il aurait donné cher pour savoir dire à Aïcha des choses piquantes comme Samir faisait avec Farida.

— Ah !

Ils poussèrent en même temps la même exclamation. La lumière de l'escalier venait de s'éteindre.

— Majid, donne la main ! cria Emmé.

— Mais ça va ! bougonna le garçon. Je suis pas un bébé.

Dans l'ombre, il avait attrapé la main d'Aïcha. Ils montèrent ainsi les trois derniers étages. Sur le palier, la lumière fonctionnait. Aïcha s'écarta vivement de Majid. La petite était élevée sévèrement. Gaie à l'école, elle était muette à la maison.

— Salut ! fit-elle.

— On a plein de boulot, ajouta-t-il, désolé de ne rien trouver de plus rigolo.

Emmé cherchait les clefs dans son sac à provisions. Le regard de Majid suivit Aïcha qui disparut dans l'appartement presque en face du sien.

Une fois dans le salon, un coup d'œil sur l'écran de son ordinateur le consola immédiatement.

```
<Caliméro> Je vous ai mis tout un tas
    d'aliens au chaud. C'est quand vous
    voulez pour Special Warrior.
```

C'était un de leurs jeux préférés, « déconseillé aux moins de 16 ans ». Majid laissa tomber par terre son sac, son blouson, son écharpe et, oubliant qu'il avait plein de boulot, il tapa fébrilement :

```
<Magic^Berber> envoi je vais te tuer tout
    sa. tu va même pa comprendre.
```

Renonçant à se formaliser pour le tutoiement, Jean-Hugues lança le jeu à travers le réseau. Il s'était bien entraîné en fin de matinée avec le lance-roquettes. Trop bon ! Il voulait montrer ses progrès à un spécialiste. Au bout de vingt minutes, alors que Jean-Hugues était déjà en transe, l'écran de son ordinateur devint soudain uniformément rouge.

— Ah ben, non ! se révolta le jeune homme. Ça va pas recommencer !

Mais cette fois-ci, au lieu de tripatouiller sa souris, il resta les yeux rivés sur l'ordinateur. Des lettres noires bavèrent sur l'écran. Un mot s'afficha. Un seul. « Golem ».

— Golem, murmura Jean-Hugues.

Et une voix profonde lui répondit : « Golem », accentuant le *o* et fredonnant le *m*. Un guerrier apparut, tout au fond de l'écran, sur la gauche, minuscule guerrier casqué, botté, scintillant. Il fit tournoyer, au bout d'une chaîne, une boule dorée hérissée de piquants. De dos, de face, de dos, de face, le guerrier, tournant sur lui-même comme un lanceur de marteau, grossit en s'approchant du centre de l'écran. Le casque était en réalité un heaume masquant totalement le visage.

Le guerrier s'immobilisa, tournant le dos à Jean-Hugues, les jambes écartées et semblant attendre quelque ordre de combat. Les violons qui avaient accompagné le tournoiement dans un crissant crescendo se turent soudain et l'on entendit un bruit semblable au crépitement d'une vieille machine à écrire. Des mots s'inscrivirent sur l'écran, lettre après lettre, mais très rapidement :

Entre ton nom.

Il y avait un cartouche noir au-dessous de cette injonction.

— C'est un jeu, se dit Jean-Hugues à voix haute.

Un jeu qui venait parasiter la partie lancée entre Magic Berber et Caliméro. Bien que sur la défensive, Jean-Hugues tapa « Caliméro » dans le cartouche et son surnom dérisoire apparut, blanc sur noir. Le guerrier, restant de dos, fit tournoyer la boule au-dessus de sa tête. Puis il redevint impassible comme s'il attendait toujours les ordres. Les ordres de qui ?

Jean-Hugues hésita. Comment jouait-on à ce jeu ? Sûrement en cliquant sur la souris et en appuyant sur certaines touches du clavier. Jean-Hugues pouvait essayer de faire bouger le petit guerrier. Il posa la main sur la souris et effleura le bouton droit. Le guerrier brandit son arme du bras droit. Jean-Hugues appuya légèrement sur le bouton gauche et le guerrier leva le bras gauche.

— T'es nerveux, mon bonhomme, marmonna Caliméro, amusé.

Il fit glisser la souris vers lui. Le guerrier disparut de son champ de vision. Seule, la masse d'armes en bas de l'écran signalait sa présence, comme si Jean-Hugues était devenu le guerrier maniant l'engin.

En somme, c'était un « shoot them up [1] » moyenâgeux. Pas vraiment le truc de Jean-Hugues.

1. « Tuez-les tous ! »

Il préférait les armes qui vous désintègrent à distance, *touvv*, *touvv*, aux massues qui font craquer les os. Comme si l'ordinateur répondait à ses pensées, une rafale de lettres vint s'aplatir sur l'écran :

`Choisis ton arme, Caliméro !`

— C'est marrant, ça, apprécia Jean-Hugues.

Pour rendre le jeu plus interactif, les concepteurs avaient choisi d'interpeller le joueur par le nom du cartouche.

— Mais comment on choisit son arme ? s'interrogea Jean-Hugues.

Il n'eut pas le loisir de chercher une solution. Brusquement, l'image sauta, l'écran redevint uniformément rouge et l'ordinateur se déconnecta.

Jean-Hugues eut très envie de téléphoner à Majid. Avait-il joué avec ce jeu ? Le connaissait-il ?

— Golem, se répéta Jean-Hugues.

Il fit la moue. Il lisait des magazines comme *Génération 4* ou *Joystick*. Il ne se souvenait pas d'y avoir trouvé quoi que ce fût sur ce jeu. C'était peut-être une vieillerie. Il se promit de passer au rayon vidéo de Mondiorama et de poser la question à un vendeur.

Le plus urgent, c'était de savoir qui perturbait ainsi la partie. Un petit imbécile de hacker[1] ? Un virus ? Un bogue ? Comment mener l'enquête ?

---

1. Spécialiste du piratage informatique.

Le plus désagréable serait d'imaginer derrière ces interférences quelque personne malveillante.

Le soir, après avoir éteint la lumière, Jean-Hugues vit dans le coin gauche de son cerveau le petit guerrier casqué. Il tourne, tourne, tourne, dos, face, dos. Dérisoire, avec sa masse d'armes et ses jambes nues, quand il y a de par le monde des monstres, des blindés et les élèves de 5e 6. Jean-Hugues se promit de trouver le jeu Golem.

Le lendemain était un samedi. Le jeune professeur ne travaillait pas. Il proposa à sa mère d'aller faire les courses.

— Si tu veux, accepta Mme de Molenne, heureusement surprise. Et fais donc un saut chez la coiffeuse. On ne te voit plus les yeux.

Du bout des doigts, elle lui repoussa quelques mèches sur le front. Jean-Hugues se laissa faire, pensant à autre chose. Pensant à…

— Golem ? demanda la vendeuse.

— C'est le nom du jeu, dit timidement Jean-Hugues.

La vendeuse sourit. Jean-Hugues concourait dans la catégorie « supermignon », poids plume, grands yeux, l'air de toujours chercher son chemin.

— Vous êtes sûr du nom ? insista la vendeuse. Parce que j'ai pas ça ici.

— Je l'ai vu sur le Net. Ça… ça n'existe peut-être pas dans le commerce, bafouilla Jean-Hugues. Ça… ça ne fait rien.

La jeune fille le dévisageait toujours en souriant. Jean-Hugues soupçonna que s'il lui demandait : « Vous êtes libre, ce soir ? » la réponse risquait d'être « oui ». Il se dépêcha de battre en retraite.

— Ça fait rien, répéta-t-il. Merci.

Il revint chez lui, assez déprimé par une brusque prise de conscience. À vingt-six ans, il avait, en guise de petites amies, une Australienne de Canberra et une Canadienne de Toronto qu'il n'avait jamais vues et qu'il ne verrait jamais. Ses amours étaient virtuelles et son meilleur copain avait douze ans. Il devait y avoir un sérieux bogue dans son programme perso.

— Je ne suis pas allé chez la coiffeuse, dit-il à sa mère, le ton agressif, en posant le sac de provisions.

— Je n'y comprends rien, répondit Mme de Molenne, préoccupée. Le micro-ondes ne marche plus. J'ai eu peur. Il a fait une étincelle quand j'ai voulu m'en servir.

Jean-Hugues eut la sensation d'avoir déjà entendu quelque chose de semblable. Qui lui avait parlé de court-circuit et d'étincelle ?

CHAPITRE V

LE PETIT GUERRIER

Un prospectus Pizza Mondialissimo dans la boîte aux lettres de Mme Badach, c'était déjà un événement. Alors, une lettre, une vraie lettre, c'était la fête !

— Ti me lis ? demanda-t-elle, assise toute droite, presque recueillie.

— C'est encore les Trois Baudets, la prévint Majid. Alors, voilà : « Cher monsieur… » Ah ouais ! Ils croient que je suis adulte. Bon. « Cher monsieur, nous espérons que vous êtes pleinement satisfait de l'ordinateur Nouvelle Génération MC que vous avez gagné, lors de notre dernier concours. Nous souhaiterions vous photographier posant devant l'ordinateur et passer cette photographie dans notre catalogue printemps-été. En contrepartie de ce petit dérangement, nous vous proposons de choisir un de nos jeux vidéo en pages 237-238. » Ouais, trop bon !

Il releva les yeux et lut la panique dans ceux de sa mère.

— Mais ji suis pas coiffée ! s'écria-t-elle.

— Ça fait rien. C'est pour moi, la photo.

— Mais la tapissirie, il est tout abîmée ! Et la tache di plafond ? Ci pas possible, Majid. Qui c'est qu'ils vont penser, les Trois Baudets ?

Exaspéré, Majid leva les yeux au ciel et vit l'énorme tache d'humidité au plafond.

— Mais pourquoi on est pauvres ? s'écria-t-il.

— Si ti es digne, mon fils, y a pas de pauvre, répondit Emmé.

Rendez-vous fut pris chez la coiffeuse. M. Badach repeignit le plafond et posa une nouvelle tapisserie. Les Trois Baudets pouvaient venir.

Le mercredi suivant, le photographe et son assistant débarquèrent chez les Badach. Le photographe parut tout simplement enthousiasmé à l'idée du cliché à prendre.

— Sublime ! dit-il en pivotant sur lui-même pour mieux admirer le minuscule salon-salle-à-manger. Une atmosphère, hein, Jean-Marc ?

— Et la tapissirie ? fit remarquer Mme Badach, non sans une petite pointe de vanité.

— Magnifico! Hein, Jean-Marc, les Babar
sur le mur, ça pète?

Il se tourna vers son assistant qui avait l'air
aussi hébété que lui-même était survolté.

— On va lui tirer le portrait à la dame. Avec
le gamin, le napperon sous l'ordinateur bleu, tout!
Ça va être sublime! Hein, Jean-Marc? Tu me
mets le réflecteur, là. Un projo, ici!

Majid avait l'impression de regarder un mauvais sketch comique. Il s'assit devant son ordinateur et lut le message qui venait d'arriver.

`<Caliméro> Qui est-ce qu'on tue, aujour-`
`d'hui?`

Majid jeta un sale regard au photographe et
marmonna: « *touvv touvv* ». Mais puisqu'on ne
pouvait pas touvv-touvver celui-là, on se défou-
lerait sur les aliens.

Au bout de cinq minutes, la partie fut per-
turbée pour la troisième fois par ce jeu que ni
Jean-Hugues ni Majid n'avaient réussi à trouver
dans le commerce. Comme les fois précédentes,
l'écran devint rouge, les lettres de « Golem »
s'affichèrent et le petit guerrier apparut.

— Superbe! s'écria le photographe dans le
dos de Majid. Alors, le petit, il se bouge un peu sur
la droite. Qu'on voie bien l'écran de l'ordinateur.
La dame, elle se rapproche. Là. Magnifico! C'est

autre chose que de photographier Cindy Crawford, ça !

Il prit une vingtaine de photos de la mère et
du fils, en ne cessant de s'exclamer : « Superbe,
magnifico ! » Puis il partit en coup de vent :

— C'est dans la boîte. En route pour la célé-
brité ! Et après, Hollywood, tout ça... Tchao, le
gamin !

Majid haussa une épaule. L'écran venait
d'afficher :

`Choisis ton arme, Magic Berber !`

Majid souhaita, souhaita de toute son âme
que le petit guerrier ne disparût pas comme les
autres fois.

— Reste, dit-il à mi-voix.

Il n'avait pas le mode d'emploi du jeu. Mais
en tâtonnant, il trouverait. Dans Special Warrior,
pour sélectionner une arme, il fallait appuyer
sur la touche]. Majid tenta sa chance. L'écran
répondit :

`Cherche mieux, Magic Berber !`

Le *m* était de nouveau souligné. Instinctive-
ment, Majid appuya sur la lettre M du clavier.
Quatre armes s'imprimèrent sur le coin droit de
l'écran dans un dégradé de gris peu séduisant :
une hache, un javelot, une fronde, un arc. Majid se
sentit humilié par le jeu comme il l'était par sa vie.

— Mais c'est nul, ça !

Malgré tout, il cliqua sur l'arc. Celui-ci parut s'arracher de l'écran et virevolter dans les airs. L'effet de profondeur était saisissant. Le guerrier tendit le bras et l'arc s'y emboîta comme une prothèse. Il poussa un « Yaho ! » bref et victorieux.

— Et t'en fais quoi, banane ? l'apostropha Majid.

Ce n'était pas avec ses petites flèches qu'il dégommerait les psychopathes, les aliens et les terroristes !

Toujours tâtonnant, Majid appuya sur la flèche « haut » du clavier. Le petit guerrier, qui tournait le dos, envoya une flèche vers le haut de l'écran. Un *chtoc* creux fit vibrer l'ordinateur. La flèche s'était plantée. Dans quoi ?

Majid se mit à jouer avec les quatre flèches du clavier, haut, bas, gauche, droite. Le guerrier distribua ses flèches à une vitesse ahurissante, toutes jaillissant dans un sifflement et se fichant dans une cible invisible.

— Trop bon ! s'exclama Majid.

Il avait envie de partir à la conquête du monde, l'arc bien en main, le pas agile. Il allait *les* tuer, trouver le trésor et épouser la princesse Aïcha. Majid avait joué à des dizaines de jeux.

Jamais il n'avait éprouvé un tel désir de se battre. La Force était en lui.

— Avance, toi, dit-il au petit guerrier.

Dans Special Warrior, il fallait appuyer sur la touche Q pour avancer. Mais la touche Q fit faire un saut périlleux au bonhomme. Majid éclata de rire puis il enfonça la barre d'espace. Le guerrier se mit en route, *toc*, *toc*. Majid se retourna. Le martèlement du pas était tellement présent qu'il avait envahi le salon.

Pendant dix bonnes minutes, Majid passa en revue toutes les commandes possibles. En somme, il devait trouver tout seul les règles du jeu. Par exemple, le W faisait ramper et quand on appuyait sur le chiffre 1, la flèche s'enflammait. Restait à savoir comment démarrer le jeu. Dans Special Warrior, il suffisait d'appuyer sur la touche ECHAP et un menu vous proposait une partie avec différents niveaux de difficulté. Dans Golem, rien ne semblait possible, hormis l'entraînement physique du petit guerrier. Majid sentait monter l'exaspération. À quoi bon toutes ces performances s'il était le seul à se savoir invincible ? Soudain, avec son bruit de mitraillette, l'écran afficha :

```
Pour connaître ta première mission,
tape : E.
```

Mais, au même moment, l'écran se brouilla et le jeu disparut.

— Ah non ! cria Majid.

C'était une frustration, une rage, un désespoir ! Il lui fallait ce jeu, il lui fallait ce jeu, il lui fallait ce jeu !

Le lendemain, en cours de français, Majid comprit au premier regard que Jean-Hugues était dans le même état que lui. Ils durent attendre la fin de l'heure pour pouvoir se parler. Majid fit semblant de renverser tout le contenu de sa trousse pour traîner en classe après les autres.

Jean-Hugues s'approcha de lui. Il ne savait pas trop ce qu'il pouvait dire, ce qu'il devait taire. Pas de copinage avec les élèves ! L'œil de ses collègues était sur lui.

— Vous avez encore eu un problème, hier soir ? fit-il, feignant l'indifférence.

— T'es allé jusqu'où dans le jeu ? répondit avidement Majid. Moi, j'ai pas pu faire ma première mission.

— Moi non plus ! s'écria Jean-Hugues. Mais j'ai eu mon arme.

— L'arc ? Trop bon !

— Ah ? Mais moi, j'ai un lance-flammes.

— *Touvv touvv ?*

— Non, *flusshhh*. Mais bien aussi ! Ça nettoie tout à cent mètres.

Ils se regardèrent. Tout de même, c'était incompréhensible. Ce jeu squattait leur partie commune et pourtant ils y jouaient, chacun de son côté.

— Pour le faire avancer… commença Majid.

— C'est la barre d'espace. Et vous avez vu ce méga coup de pied ? Quand on tape la touche Alt…

— Et Q ? Trop mortel, le saut qu'il fait !

— J'ai commencé à tout noter. Parce que autrement on va oublier.

Ils se turent.

— C'est bizarre, quand même, remarqua Majid, le ton mal assuré.

— Un coup de pub ? hasarda Jean-Hugues. Le lancement d'un jeu…

— Faudrait que je vous montre quand je tire mes flèches enflammées ! dit Majid, repris par sa passion. *Ssssatch !*

Il fit un grand geste du bras pour traverser l'espace :

— Ça déchire à mort ! Et on dirait du vrai feu, quoi !

— Quand ça va commencer à saigner, ça va être mieux que du vrai !

Un léger bruit fit tressaillir Jean-Hugues. Ça venait de la porte d'entrée. Samir était revenu sur ses pas. Samir les écoutait.

Il ricana, baissa la tête comme pour donner ce fameux coup de boule des 5e 6. Il aurait voulu trouver une plaisanterie bien piquante. Mais il était scié. Majid et le prof qui parlaient de jeux vidéo comme deux copains ! Il tourna les talons sans avoir rien trouvé à dire. C'était bien la première fois que sa tchatche se trouvait à court de munitions.

Il revint vers les Colibris, méditatif. Il y avait deux Samir. L'un espiègle, insupportable et irrésistible à la fois. L'autre solitaire et tragique.

« Majid, le gentil Majid », se disait-il en grinçant des dents. Majid et son papa qui travaillait jour et nuit. Le père de Samir était au chômage. Majid et ses six frères. Samir n'avait qu'une petite sœur. Une petite sœur condamnée par la maladie. Majid et Emmé, ses bons gâteaux et son thé. La mère de Samir fumait au lit jusqu'à midi.

Or, voilà que Majid trahissait les 5e 6, qu'il passait du côté du prof. Il fallait lui faire payer ça. Samir ne pouvait pas s'avouer qu'il aurait mille fois préféré être Majid. Ce petit crétin de Majid.

Ce gros bouffon de Majid. La colère lui gonflait le cœur. La colère. Le chagrin.

Tout en marchant, il élaborait son plan. Il allait devenir le copain de Majid. Oui. Et il allait entraîner le jeune Berbère dans une embrouille à mettre la honte à toute la famille Badach jusqu'à la troisième génération. Oui, oui, c'était ce qu'il fallait faire. Et prouver à ce gros nul de prof que Majid valait la même chose que Samir. C'est-à-dire rien.

CHAPITRE VI

AÏCHA NE VEUT PAS
QU'ON PARLE SUR ELLE

Majid était le dernier-né. Aïcha était l'aînée. C'était toute la différence. Aïcha avait trois petits frères et une petite sœur.

Dès qu'elle rentrait du collège, elle travaillait. Pas à ses exos de maths. Elle allait chercher le pain, sortait le linge de la machine, surveillait celui qui commençait à marcher, donnait le biberon à la dernière. Puis mettait le couvert, jetait les nouilles dans l'eau bouillante, changeait la couche de la petite.

— Aïcha ! Aïcha !

Jusqu'à l'heure du coucher, sa mère l'appelait. Toujours quelque chose à faire. La maman n'était pas méchante. Elle était tout simplement débordée. Le père était sévère. Les claques tombaient. Sur le petit qui avait cassé un verre, sur le bébé qui pleurait à l'heure des informations. Sur

Aïcha parce qu'elle n'avait pas empêché le frère de casser le verre, parce qu'elle restait plantée devant la télé au lieu de faire taire le bébé. Ce n'était pas l'enfer. Ce n'était pas une vie non plus. Aïcha avait dit un jour à Nouria :

— Chez moi, je suis un robot.

Parfois, dans sa tête, elle jouait au robot et se disait d'une voix mécanique : « Changer le bébé, bébé changé. Laver le poisson, poisson lavé… »

Dans son lit, Aïcha rêvait qu'elle était sur une autre planète. Elle devenait la princesse Aïcha et elle commandait aux robots. Elle leur disait de faire sa fiche de lecture. Parce que M. de Molenne était bien gentil, mais elle n'avait vraiment pas le temps de faire son travail d'école ! Heureusement, elle copiait tout sur Nouria.

Manque de chance, ce jeudi, Nouria était absente. Et c'était contrôle de conjugaison.

— Hé, Majid, demanda Aïcha dans le couloir, je peux me mettre à côté de toi en français ?

Majid ne se fit pas d'illusions. Ce n'était pas une déclaration. C'était pour le contrôle de conjugaison.

— T'aurais une meilleure note avec Sébastien, remarqua Majid.

— Oh, ce gros bouffon ! fit Aïcha, dédaigneuse.

Elle ne voulait pas avoir 20. Juste la moyenne pour ne pas se faire taper à la maison. Elle s'assit donc à côté de Majid, presque en face du prof. Jean-Hugues avait déjà écrit les consignes au tableau : « Verbe voir au futur, verbe croire à l'imparfait… »

On commençait à s'échanger les informations au fond de la classe. Mamadou consultait carrément son manuel.

— Mamadou, rangez votre Bescherelle ou je vous enlève cinq points !

— C'est juste pour vérifier si j'ai bon, m'sieur ! répondit le grand Black sur ce ton indigné qu'il affectionnait.

Pendant quelques instants, une activité presque studieuse régna dans la classe des 5e 6.

— Majid, remarqua Jean-Hugues, passez carrément votre copie à Aïcha. Vous lui éviterez un torticolis.

Quelques bonnes âmes ricanèrent, surtout parce que le prof avait associé Majid et Aïcha.

— La touche, Majid ! cria Miguel.

Magic Berber adressa un sourire exaspéré à Caliméro comme pour lui dire : « Merci du service, mon vieux ! Tout le monde va se payer ma tête… » Samir guettait chacun de leurs échanges, enrageant au moindre signe de complicité.

Jean-Hugues se déplaça entre les rangs pour mener la vie dure aux grugeurs. Il jeta au passage un coup d'œil sur la copie de Majid : « *Je voirai, tu voiras... Je croivais, tu croivais...* » Jean-Hugues ne put s'empêcher de soupirer.

— Quoi ? fit Majid en relevant brusquement la tête.

Caliméro lui posa la main sur l'épaule pour le calmer puis il revint à son bureau. Étaient-ce les vertus de la conjugaison ? Les 5e 6 étaient paisibles. Soudain, Jean-Hugues croisa le regard noir de Samir.

— Vous avez fini, Samir ?

— Non, dit lentement le garçon. Je commence.

Et, de toute l'heure, Samir ne sortit aucune insolence.

À la fin de l'après-midi, Majid profita de la cohue de la sortie pour glisser à Aïcha :

— On rentre ensemble ?

Après la réflexion de M. de Molenne en cours, si Aïcha revenait avec Majid, on allait lui faire une réputation.

— J'ai mon frère à aller chercher, murmura-t-elle pour se débarrasser de Majid.

Majid ne répondit rien et détourna la tête comme s'il n'avait jamais cherché à parler à Aïcha. Chacun revint seul, par un chemin différent, Aïcha pensant à Majid et Majid pensant à Aïcha. C'était comme ça.

— Aïcha! cria la maman dès que la fillette eut passé la porte. J'ai plus de lait pour le bébé!

Aïcha posa son sac à ses pieds et regarda fixement le mur en face d'elle. Fatiguée. Elle était fatiguée. La nuit était tombée. La froide nuit de février.

— Aïcha! cria la mère. Tu m'entends? Tu vas voir ton père si j'y dis!

Des larmes montèrent aux yeux de Aïcha.

— Mais j'y vais! cria-t-elle à son tour.

Elle prit le petit porte-monnaie dans la cuisine et ressortit en claquant la porte. Elle appuya sur le bouton de l'ascenseur et attendit. Une longue minute. Elle appuya de nouveau.

— Ah, non! fit-elle en donnant un coup de pied dans la porte de l'ascenseur.

Il était encore en panne. Elle descendit les marches trois par trois, son cœur s'allégeant à chaque étage. Il n'y avait pas de place en elle pour la rancune.

Mondiorama était de l'autre côté de la cité. Aïcha n'aimait pas cet endroit. Les grands y traînaient toujours, appuyés sur leur Mob. Ils faisaient des réflexions sur Aïcha quand ils la voyaient parce qu'elle était jolie, avec son long cou de reine et ses yeux en amande.

En arrivant devant le supermarché, elle reconnut les grands, encore dehors malgré le froid. Deux d'entre eux faisaient vrombir leur Mobylette. Un autre avait apporté son magnéto et poussait à fond le dernier Khaled. Aïcha espéra qu'une Black dans la nuit passerait encore plus inaperçue qu'un chat gris.

— Aïcha! s'écria une voix qu'elle connaissait.

Devait-elle se réjouir ? C'était Samir. Il s'approcha d'elle à grandes enjambées.

— Sur le Coran de La Mecque ! T'as rendez-vous avec Majid ?

— Écoute, fit la petite, moi, je parle pas sur toi. Alors, toi, tu parles pas sur moi !

C'était dit avec une telle force que Samir eut un pas de recul.

— Je parle pas sur toi, Aïcha, riposta le garçon sur un rythme de rap. Un reubeu, ça parle pas d'une keubla.

Il sautillait, prêt à se sauver au cas où Aïcha chercherait à le frapper.

— Sauf Majid, Aïcha. Majid, il t'aime !

La fillette leva le bras pour taper. Samir s'esquiva en lançant à tue-tête :

— Mais Majid, il est timide ! Je parle pas sur toi, Aïcha, je parle pour Majid !

— Imbécile, dit la petite entre ses dents.

Elle était à la fois fâchée et contente. Est-ce que Majid avait dit à Samir qu'il avait tenu la main d'Aïcha dans l'escalier ? Ça ne se faisait pas de raconter ces choses-là. Après, tout le monde parlerait sur elle. C'était sa hantise. Qu'on ricane dans son dos : « Ah, ah, Majid et Aïcha. » Mais si Majid l'aimait pour de vrai ?

Quand elle fut de retour aux Colibris, une mauvaise surprise l'attendait. Non seulement l'ascenseur était toujours en panne, mais la minuterie de l'escalier ne fonctionnait plus. Monter seule douze étages dans l'obscurité, ce n'était pas le pire. Le pire, ce serait de croiser quelqu'un.

La fillette posa la main sur la rampe glacée et chercha du bout du pied la première marche de l'escalier. Arrivée au premier étage, elle n'avait toujours rien percé de l'obscurité, mais elle s'accoutumait à grimper en aveugle. Elle essayait de ne pas respirer trop fort pour ne pas signaler sa présence. Il lui semblait pourtant que son souffle emplissait toute la cage de l'escalier. Elle comptait dans sa tête. Quatrième étage. Cinquième étage.

Soudain, elle entendit, venant du palier supérieur, le bruit d'une porte qu'on ouvre. Quelqu'un appuya sur l'interrupteur, en vain, puis déversa une flopée de gros mots. C'était un homme.

Aïcha avait dans la tête toutes sortes de récits que se faisaient les filles du collège. Des rencontres dans les escaliers. Des viols dans les caves. Des rumeurs. *Tu sais, cette fille rousse qu'on n'a jamais revue…* Terrifiée, Aïcha choisit de se plaquer contre le mur. Elle entendit le pas lourd, le souffle rauque. Ce devait être un gros homme. Il n'allait pas vite. S'arrêtait pour pester. Repartait. Il passa tout près d'Aïcha. Oh! Si près… Une odeur de cigarette. La petite s'écrasa contre le mur à s'en faire mal aux os. L'homme poursuivit sa descente. Merci, mon Dieu! Ne se souciant plus de discrétion, Aïcha s'élança jusqu'au douzième.

Une fois sur son palier, elle se sentit hors de danger et se laissa aller à rire toute seule, le visage enfoui dans ses mains. Quand elle raconterait ça à Nouria! Elle en rajouterait un peu. Elle dirait que l'homme l'avait frôlée. Enfin calmée, Aïcha releva la tête et resta bouche bée.

Une petite fumée, visible malgré l'obscurité, montait vers le plafond. D'où sortait-elle? Ouf, pas de chez Aïcha. Ça venait d'un peu plus loin.

— Majid, murmura la petite.

La fumée semblait sortir de dessous la porte.

— Au feu! fit Aïcha d'une voix étranglée.

Mais c'était une fumée qui ne sentait pas le feu. Et qui était bleue. D'un blanc bleuté, comme éclairé du dedans. C'était d'abord un filet qui s'échappait de l'appartement des Badach. Il s'élargissait en montant et ondulait au plus léger courant d'air.

Le nuage de fumée était traversé par moments d'éclairs rapides, plus lumineux que le reste. Tout au bord du nuage crépitait de temps à autre une petite étincelle d'un bleu électrique. Que se passait-il chez les Badach ?

Aïcha n'osait pas s'approcher de l'étrange phénomène. Elle avait surtout envie de retrouver la marmaille familière et les « Aïcha ! Aïcha ! » de sa mère. Doucement, en rasant le mur, elle se rapprocha de sa porte, gardant les yeux sur le nuage de fumée. Elle prit la clef dans sa poche, l'enfonça dans la serrure, ouvrit.

— Aïcha, mais tu en as mis un temps ! Ton père est rentré.

La fillette jeta un dernier regard derrière elle. Le couloir était plongé dans les ténèbres. La fumée s'était effacée comme si elle n'avait jamais existé. Aïcha referma la porte d'un coup de talon et resta quelques secondes pétrifiée.

— Qu'est-ce que tu as ? dit le père assez rudement. Tu es malade ?

Aïcha porta la main à sa tête. Est-ce qu'elle était folle ?

— Non, ça va, bredouilla-t-elle. J'ai couru.

Elle n'avait pas l'habitude de se confier. Même à sa meilleure amie, elle ne disait pas grand-chose.

Le lendemain, dans la cour du collège, Aïcha aperçut Majid et se mit à l'observer. Cette fumée sans odeur, elle était sortie de son appartement. Il ne pouvait pas l'ignorer.

— Ça va ? lui demanda Aïcha.

— Ça va. Samir, il t'a vue, hier soir.

Aïcha sortit tout de suite les griffes :

— Quoi, il m'a vue ?

Majid se recula :

— Ben, à Mondiorama.

Aïcha haussa les épaules. Tout se savait dans cette cité. Tout le monde s'épiait pour des riens.

— Les garçons, ça fait autant les grosses commères comme les filles, remarqua Aïcha, méprisante. C'est rien de mal d'aller à Mondiorama.

— Mais j'ai pas dit ça ! protesta Majid, dépité.

Il avait voulu se faire valoir, en montrant à Aïcha qu'il était devenu l'ami du redoutable Samir.

— Et d'abord, tu parles pas sur moi avec Samir, ajouta Aïcha, farouche.

Majid sentit une grosse boule dans sa gorge. Il n'était pas vraiment amoureux. Mais quand même un peu.

CHAPITRE VII

GOLÉMIA

De temps en temps, des jeux suspects apparaissent puis disparaissent sur Internet, sans qu'on sache comment ni pourquoi.

Avec Golem, Jean-Hugues ne voyait pas où les concepteurs souhaitaient entraîner les joueurs. Dans quel univers ? Pour quelle quête ?

Un matin, il se retrouva en face de sa première mission après avoir appuyé sur la lettre E. Son écran s'ouvrit par le milieu comme un rideau de théâtre et le décor du jeu apparut. C'était un couloir où des torches jetaient d'inquiétantes lueurs sur des portraits anciens. De chaque côté du corridor, comme il fallait s'y attendre, il y avait trois portes fermées.

— Allez, mon petit gars, on y va, dit Jean-Hugues au guerrier.

Il appuya sur la barre d'espace pour le faire avancer et relâcha sa pression devant la deuxième porte de droite. Comment entrer dans la pièce ? Jean-Hugues appuya très classiquement sur la touche Entrée. La porte s'ouvrit et le joueur aperçut devant lui une immense salle, sombre et peu engageante. Il était trop tard pour reculer.

Toc, *toc*, *toc*, le petit guerrier fit résonner ses pas. Un *grmmmfssch !* terrifiant sortit du haut-parleur. Un dragon ! Jean-Hugues appuya précipitamment sur la touche 6 pour récupérer son arme :

— Aboule mon lance-flammes !

Puis il cliqua en se réjouissant d'avance :

— Toi, mon gros, tu vas pas comprendre !

L'arme crachota un minable *flussshh*. Le dragon riposta par un énorme jet de feu.

— Okay, laisse tomber, fit Jean-Hugues, désabusé.

Le guerrier n'était plus qu'un petit tas de cendres et l'écran afficha :

Cramé !

```
> recommencer la partie
> quitter la partie
```

Jean-Hugues se dépêcha de cliquer sur « recommencer la partie ». Sa seule peur, c'était que le jeu se désinstalle brusquement. Car il ne savait absolument pas comment le capturer.

— Bon, alors, cette fois, on va faire dans l'ordre, se raisonna Caliméro. Première porte, droite.

Le guerrier entra dans une sorte de salle du trône. Mais à la place du roi, sur un coussin de pourpre, il y avait… une muselière. Jean-Hugues ricana. C'était une énorme muselière pour une énorme gueule.

— Cha, ch'est pour mon dragon, cha, bêtifia Jean-Hugues.

Il fit se précipiter le petit guerrier vers la muselière sans prendre garde aux deux armures placées de part et d'autre du trône. Les deux armures s'animèrent et abaissèrent chacune leur hallebarde. *Tchac*, *tchac* sur le petit guerrier.

— Mais quel con ! s'exaspéra Jean-Hugues.

L'écran afficha :

Saucissonné !

> recommencer la partie

> quitter la partie

Jean-Hugues redémarra, entra de nouveau dans la salle du trône, dégomma les armures au lance-flammes, *flusshh*, *flusshh*, et cliqua sur la muselière. Cette fois-ci, c'était gagné. Enfin… presque. La muselière à la main, le petit guerrier retourna dans la deuxième pièce et bondit sur le côté pour éviter le jet de feu. Jean-Hugues appuya sur la touche Alt et le dragon se prit un méga coup de pied dans les trous de nez.

— Kaï, kaï, gémit-il en s'aplatissant.

Le guerrier lui passa la muselière.

— Eh bah, voilà, pas plus dur que ça ! triompha Caliméro.

Les concepteurs du jeu n'étaient pas trop vicieux. Jean-Hugues en profita pour souffler un peu. Et admirer le décor plein d'ombres inquiétantes.

Techniquement, esthétiquement, ce jeu était une merveille. Les bruitages étaient impressionnants de réalisme. Le guerrier se déplaçait naturellement, le dragon était d'un comique irrésistible. Ses yeux rouges étaient devenus bleus. Il ronronnait aux pieds du guerrier, attendrissant comme un chaton monstrueux. Des flammes lui sortaient encore par la gueule mais ce n'étaient plus que de ridicules crachotis de bébé dragon. L'écran afficha :

`Pour connaître ta deuxième mission,`
`tape EM.`

Jean-Hugues obéit et, aussitôt, le dragon releva la tête. Les yeux suppliants, il se mit à émettre des *mmmhummhu* derrière sa muselière. Il voulait parler, sans doute pour indiquer la voie à suivre. Mais comment lui ôter sa muselière ? Intuitivement, Jean-Hugues enfonça la touche ECHAP. La muselière se détacha. Les yeux bleus redevinrent rouges. Le dragon se dressa sur ses pattes arrière et de toutes ses forces souffla un jet de feu. *Grrrmffffushshsh!* Sur le petit guerrier.

— Merde! hurla Jean-Hugues, en se reculant dans son fauteuil comme s'il risquait lui-même d'être carbonisé.

L'écran triomphait:

`Ah, ah, je t'ai eu!`

— Qu'est-ce qui se passe? demanda Mme de Molenne, alertée par le hurlement.

— Hein? Rien.

Jean-Hugues fit effort pour se calmer. Un peu plus et il fondait en larmes.

— Rien, répéta-t-il, lugubre.

Mme de Molenne eut une petite mimique interrogative puis referma la porte. Elle était psychologue et se demandait parfois ce qu'elle avait pu faire à son fils pour qu'il en soit encore là.

Avec l'acharnement du joueur de jeu vidéo, Jean-Hugues refit tout son parcours et ne se laissa plus prendre aux supplications de son dragon.

— C'est ça, *mmmuummu*, le nargua-t-il.

Indécis, il promena la flèche de son curseur sur tout l'écran, cherchant ce qu'il pouvait bien faire pour se sortir de cet endroit. Soudain, au pied d'une des voûtes de la salle, la flèche se transforma en une petite main invitant le joueur à cliquer.

— C'est quoi, ça ? marmonna Jean-Hugues en plissant les yeux. C'est pas… ? Mais si !

C'était une selle. Une selle pour chevaucher le dragon. *Clic*. La selle se posa sur le dragon. Le petit guerrier monta en selle et l'écran se déchira de nouveau, comme un rideau de théâtre.

— Génial ! s'extasia Jean-Hugues.

Il volait à dos de dragon. Au-dessous de lui, il y avait le château qu'il venait d'explorer. Au-delà, c'étaient des collines, des prairies, des villages aux cheminées fumantes, tout un monde !

Après un survol vertigineux de quelques secondes, une carte s'afficha dans le coin gauche de l'écran. Une de ces vieilles cartes jaunies où un géographe plus artiste que scientifique a dessiné des grottes, des forêts, des montagnes. Des noms de villes ou de fleuves étaient calligraphiés en belles lettres gothiques à peu près illisibles.

Jean-Hugues aperçut au même moment plusieurs objets mis à sa disposition au bas de l'écran : une fiole, une loupe, une lampe, une boussole, une clef. Il cliqua sur la loupe et celle-ci vint se promener sur la carte. Les noms devinrent lisibles : Tamza, Icarie, Tulamor et Golémia.

— Hmm… Golémia, réfléchit Jean-Hugues à voix haute. Ça doit être la capitale du pays.

Il reprit son curseur et le balada à travers le pays. La petite flèche se transformait en main à chaque nom de ville. Était-il possible de se rendre dans tous ces lieux d'un simple clic de souris ? Jean-Hugues tenta sa chance sur « Golémia ». Alors, le dragon battit des ailes, vola au plus haut de l'azur puis descendit en piqué vers une ville enserrée de murailles. Golémia !

Une nouvelle carte s'afficha, celle de la ville.

— Incroyable ! murmura Jean-Hugues.

Il y avait des noms de rues, de ruelles, de places, d'impasses, de monuments, de ponts que la loupe faisait apparaître en se déplaçant : Pont-aux-Corneilles, rue du Roi Ivan V, place Taliva, ruelle des Pendus, auberge du Bec d'Or... Le dragon survolait la ville, une ville grouillante et bruissante où l'on devinait un marché, une forte-resse, des églises, des taudis, des palais.

Soudain, un jet de flèches traversa l'écran. Horreur ! Il y avait des archers sur les murailles de la cité et ils tiraient sur le dragon. Une flèche lui transperça une aile.

— Mais mon Bubulle, ils vont me le tuer !

Dans son désarroi, Jean-Hugues venait de baptiser sa monture. Bubulle commença à perdre de l'altitude. En manœuvrant la souris, Jean-Hugues le fit virer sur l'aile et l'éloigna de Golé-mia l'inhospitalière. L'atterrissage s'effectua dans un champ, entre deux bottes de foin. Jean-Hugues avait remarqué en haut de l'écran une petite barre rouge qui allait s'amenuisant. Probablement le temps de vie ou les réserves d'énergie du dragon. Que faire? Bubulle perdait du sang et pleurnichait. *Mmuumuumu…*

Jean-Hugues eut un éclair de génie: la fiole! Vite, il s'en empara d'un clic. Elle se plaça entre les mains du petit guerrier qui put soigner sa monture. La barre rouge s'emplit de nouveau. Sauvé! Mais c'était un joker que le guerrier ne pourrait plus utiliser. Jean-Hugues était si absorbé par son dragon, par son guerrier, par Golémia et ses archers qu'il n'entendit pas le téléphone sonner.

— Jean-Hugues! l'appela Mme de Molenne.

Elle entra dans le bureau:

— Jean-Hugues, c'est pour toi!

— Mmmummu, marmonna le jeune homme, les yeux sur son écran.

— Mais Jean-Hugues! C'est une collègue à toi. Tu sais, la prof de SVT?

Jean-Hugues regarda sa mère comme si elle lui parlait de choses totalement étrangères, d'une autre époque ou d'un autre univers.

— La prof de SVT, répéta Mme de Molenne, alarmée. C'est pour préparer le conseil de classe, tu sais, au collège?

— Oui, fit sagement Jean-Hugues. Le conseil de classe, la prof de SVT.

Il n'était pas encore tout à fait là.

— Oh, regarde ! s'exclama sa mère.

L'écran était devenu tout rouge.

— Non ! hurla Jean-Hugues. Mon jeu !

Il s'était désinstallé et Jean-Hugues n'avait même pas eu le temps d'enregistrer sa partie.

— Oh, non, murmura-t-il, navré, chaviré, désespéré.

— Jean-Hugues, te mettre dans des états pareils… commença Mme de Molenne.

Elle aurait voulu ajouter : « Enfin, quoi, ce n'est pas la vraie vie. Sors, rencontre des jeunes filles, amuse-toi ! » Mais comme, depuis qu'il était né, elle avait peur de le complexer, elle se contenta de lui dire :

— Tu peux aller répondre à ta collègue ?

La prof de SVT était une charmante personne sur laquelle Mme de Molenne fondait quelque espoir. Elle s'appelait Nadia, elle était blonde, elle avait un gentil cheveu sur la langue et Jean-Hugues avait dû parler d'elle à deux ou trois reprises. Mais surtout, Mme de Molenne avait vu Nadia parler à son fils, à une sortie de cours. Elle était visiblement amoureuse de lui. Elle riait trop fort, elle minaudait. Bref, n'importe quel 5e 6, voyant ce cinéma, se serait écrié :

— La touche, Jean-Hugues !

Jean-Hugues, lui, n'avait encore rien remarqué. Sinon que la prof de SVT était blonde et qu'elle zézayait.

— Allô ! fit-il un peu brusquement.

— Zean-Hugues ? Ze vous déranze ?

— Pas trop, répondit Jean-Hugues, en veine d'amabilité.

Nadia voulait lui parler du prochain conseil de classe et des élèves de 5e 6 qui posaient problème.

— Vous avez des difficultés avec Samir, ze crois ? demanda-t-elle.

— Non. C'est juste que j'ai envie de le tuer.

Nadia toussota. Son cher collègue n'avait pas l'air d'être dans un bon jour.

— Il faudra aussi parler des élèves qui ne perturbent pas le cours, mais qui ne fichent vraiment rien.

Jean-Hugues fronça les sourcils.

— À qui pensez-vous, en particulier ?

— À Mazid…

Aïcha aussi y pensait. À Majid, en particulier. Elle n'arrivait pas à savoir s'ils étaient fâchés. Ils se disaient encore « bonjour », le matin. Mais Majid n'ajoutait plus : « Ça va ? » Plus Aïcha y pensait, plus elle trouvait Majid bizarre. Et cette fumée bleutée qu'elle avait vue sortir de son appartement ? Elle n'avait pas rêvé, pourtant.

Un soir, en revenant du collège, elle trouva le courage de s'approcher de la porte des Badach. La minuterie avait enfin été réparée et elle put voir sur le mur, le long du chambranle, une longue trace noire. Comme une trace de brûlé. Elle avança la main pour la toucher. Dès qu'elle effleura le mur, elle ressentit une petite décharge électrique. Rien de très douloureux. Ce qu'on ressent parfois en touchant une portière de voiture. Un peu d'électricité statique. Mais Aïcha en eut un recul de crainte. L'étrange fumée avait, elle aussi, des crépitements, des zébrures électriques.

Décidément, non, elle n'avait pas rêvé.

CHAPITRE VIII

GOLEM CITY

« Il est loin d'être sot. » Telle était l'opinion générale sur Samir. Jean-Hugues jeta un regard circulaire sur ses collègues présents au conseil de classe des 5ᵉ 6.

— Il est même très intelligent, dit-il avec amertume.

Il avait encore eu de sérieux problèmes de discipline avec lui, le matin même.

— Il n'a pas de mauvais résultats, remarqua Nadia, la prof de SVT.

— C'est le comportement qui laisse à désirer, ajouta Mᵐᵉ Dupond, la prof d'anglais.

— Il est odieux ! s'emporta Jean-Hugues.

Il y eut un petit silence. Les deux délégués de classe, Sébastien et Nouria, attendaient que tombe le verdict. Conseil de discipline or not conseil de discipline ?

— Il ne faut pas être trop négatif, fit la toute petite voix de la toute petite Mme Lescure, professeur de mathématiques. Moi, j'ai 12 en géométrie, 13 en travaux numériques.

Du bout de son stylo, elle pointait les notes de Samir sur son petit cahier. Nadia devina que son cher Jean-Hugues allait craquer et hurler sa haine du gamin.

— On pourrait mettre : « perturbe les cours » ? suggéra-t-elle.

Tout le monde autour de la table savait que les parents de Samir signeraient le bulletin sans s'interroger sur le sens du verbe « perturber ».

— Très bien, c'est ça, approuvèrent-ils d'une seule voix.

À l'exception de Jean-Hugues qui se mit à gribouiller sur son papier.

— Bon, alors… Aïcha, à présent, reprit Mme Dupond, professeur principale des 5e 6. On pourrait d'ailleurs parler de Nouria en même temps ?

Les professeurs sourirent. Nouria avait tressailli.

— Tu comprends bien, Nouria, que nous ne sommes pas nés de la dernière pluie, commença Mme Dupond.

La déléguée de classe joua les effrontées :

— Quoi ? Qu'est-ce qu'y a ?

— Il y a que vous trichez dans toutes les matières, lui fit observer Nadia. On devrait couper votre moyenne en deux.

— En orthographe, ça ferait 1,5, remarqua Jean-Hugues.

Les professeurs rirent discrètement. Nouria jeta un regard noir à Jean-Hugues. Aïcha copiait tout sur elle. Mais jamais elle ne trahirait sa copine.

— Il faut quand même voir les points positifs, fit la petite voix de Mme Lescure. Moi, j'ai 11 en géométrie. C'est deux points de mieux qu'au premier trimestre.

— Elles trichent mieux, fit Mme Dupond. C'est un progrès, si on veut. Bon, qu'est-ce qu'on met à Aïcha ?

Nouria tremblait. Pas pour elle. Pour Aïcha. Elle avait baissé les yeux. Fini de jouer les effrontées.

— Aïcha a un père très sévère, dit soudain l'autre délégué.

Tous les regards convergèrent vers Sébastien. C'était un jeune garçon très beau, très gentil, très doué que les 5e 6 appelaient unanimement « l'autre gros bouffon ».

— Qu'est-ce que tu veux dire ? demanda doucement Mme Dupond.

— Ben… ça.

Sébastien ne pouvait pas révéler que Aïcha se faisait souvent gifler. Elle lui en avait fait un jour la confidence pour obtenir sa fiche de lecture. Les professeurs n'insistèrent pas. Ils savaient parfaitement que nombre de leurs élèves avaient des conditions de vie très dures.

— On pourrait mettre que Aïcha « doit fournir un effort personnel » ? fit la petite voix.

Tout le monde admira la subtilité du commentaire.

— Un effort « personnel », c'est ça, très bien !

— Et pour le 3, monsieur de Molenne, est-ce qu'on ne pourrait pas…

— Mettez-lui 15 ! fit Jean-Hugues, désinvolte.

Tout le monde désapprouva d'un hochement de tête. Décidément, Jean-Hugues n'avait pas la manière.

— Il ne faut pas décourager les enfants, fit la petite voix. Sans leur mentir, on peut souligner les points positifs…

— Mettez-lui 9, lâcha Jean-Hugues, de plus en plus isolé.

Nadia aurait voulu le consoler. Mais ce n'était pas vraiment le bon endroit pour les câlins.

— Là, reprit Mme Dupond, j'ai Majid. Qui est-ce qui veut parler de Majid ?

Jean-Hugues ouvrit la bouche mais se fit ravir la parole par Mme Lescure.

— Alors, lui, fit la petite prof de maths, il faut lui tirer les oreilles ! Il a tout ce qu'il faut pour bien réussir. Sa maman est charmante. Son père est un monsieur très bien. Majid est intelligent. Mais il ne fait rien. Ni en classe ni chez lui.

C'était le réquisitoire le plus sévère qui eût été prononcé jusqu'à présent. Ça sentait le redoublement. Le cœur de Caliméro s'était emballé.

— Alors, ça… c'est… c'est incroyable ! bafouilla-t-il. C'est un gosse qui… qui ne pose aucun problème. Aucun !

— Oh, c'est sûr, il fait ses petits coups en douce, répliqua Mme Dupond.

— Mais quoi ? Quels petits coups ? s'enflamma Jean-Hugues sur le ton qu'aurait pris Mamadou.

— Et puis, moi, j'ai 7 en géométrie, 8 en travaux numériques.

Jean-Hugues regarda Mme Lescure comme s'il allait lui faire bouffer son petit cahier. Nadia sentit venir l'incident.

— On pourrait mettre : « doit se reprendre au troisième trimestre s'il veut éviter le redoublement ».

Tout le monde approuva :

— Très bien. Il a besoin d'un avertissement.

En fin de journée, comme Jean-Hugues passait devant la barre des Colibris, il eut envie d'aller prévenir Majid. Le bulletin arriverait en début de semaine prochaine. Il fallait préparer le terrain. La maman allait tomber de haut. Elle était persuadée que Majid travaillait bien. Elle reçut M. le professeur avec beaucoup de satisfaction.

— Il y a eu du changement, ici, remarqua Jean-Hugues. Vous avez refait le salon ?

— Et la tapissirie, dit Mme Badach avec orgueil.

Jean-Hugues n'était pas trop moqueur. Mais il eut tout de même un petit rire en examinant les Babar sur les murs. Majid comprit tout de suite et voulut expliquer :

— Papa me voit pas grandir.

— Ça, c'est vrai. Toujours, il travaille, le papa, approuva Mme Badach. Et Majid, il fait un pitit effort à ton école ? Moi, je lui dis : travaille, travaille.

Jean-Hugues ne se sentit pas le courage de la détromper. Il eut un pâle sourire. Le bulletin du second trimestre allait faire mal.

— Tu as continué le jeu ? demanda Majid à brûle-pourpoint.

Caliméro oublia immédiatement ce qu'il était venu faire chez les Badach. Ses yeux pétillèrent.

— J'ai fait ma première mission, dit-il en prenant une pose virile, les pouces passés dans la ceinture. Et toi ?

— Trop bon. Je suis allé à Golem City.

Majid avait choisi les deux portes de gauche.

— Ji fais un peu di thé ? Ti veux, monsieur d'Molenne ?

— Volontiers, madame Badach, répondit Jean-Hugues en s'asseyant devant l'ordinateur de Magic Berber.

— Tu sais ce que c'est, un golem ? lui demanda Majid, l'air de celui qui pose une colle.

— Heu… C'est une histoire juive, non ? Un genre Frankenstein ?

— J'ai trouvé un site sur le Web, ça explique superbien.

Magic Berber poussa son pote sans ménagement et s'assit en face de l'ordinateur. Après quelques secondes d'attente, l'écran afficha :

« Golem : Le golem est un être de forme humaine créé par magie. D'après la légende, pour créer un golem, il fallait prendre un peu de terre vierge et la modeler selon la forme désirée. Puis le mot EMET, c'est-à-dire "vérité" en hébreu, devait être écrit… »

Tandis que Jean-Hugues lisait cette dernière phrase, l'ordinateur se mit à grésiller. L'écran se brouilla puis une image, d'abord grise et floue, s'installa à la place du texte.

— Le jeu, murmurèrent en même temps Caliméro et Magic Berber.

L'ordinateur connecté était de nouveau squatté par le jeu vidéo.

`Entre ton nom.`

Mme Badach était revenue dans le salon. Elle jeta un regard distrait sur l'écran. Majid venait d'inscrire « Magic Berber » dans le cartouche.

— Ton thé, monsieur d'Molenne, dit-elle en posant le petit verre fumant près du clavier.

L'écran s'ouvrit sur le couloir dallé de marbre blanc et noir.

— Essaye la deuxième porte à droite. C'est trop bon, conseilla Jean-Hugues.

— Ah ouais ? C'est quoi ?

Caliméro s'abstint de signaler que le petit guerrier allait se faire cramer par un dragon.

— Essaye, c'est trop bon, répéta-t-il en se mordillant les lèvres pour ne pas rigoler.

Majid avança son petit guerrier, le fit pivoter et appuya sur la touche Entrée. Sans résultat.

— Appuie !

— Mais qu'est-ce tu crois que je fais ? protesta Majid en pilonnant la touche.

Caliméro appuya à son tour. La porte refusait de s'ouvrir.

— Laisse tomber, fit Majid, va voir à la deuxième porte à gauche.

— Ça pue le traquenard, s'amusa Caliméro.

Le petit guerrier entra dans une sorte de hangar où s'entassaient des caisses. Derrière ces caisses, des malfrats en chapeau mou jouaient aux cartes. D'autres, qui montaient la garde, mitraillèrent le petit guerrier.

— T'as vu l'accueil? ricana Majid.

Jean-Hugues resta un moment sans réaction. Quand Majid avait voulu entrer dans l'antre du dragon, la commande s'était bloquée. Le joueur, en se nommant, ne pouvait aller que dans une seule direction.

L'écran avait affiché:

Sulfaté!

> recommencer la partie

> quitter la partie

Magic Berber recommença la partie. Il fallait s'emparer d'une mitraillette dans la première pièce pour dégommer les gangsters dans la deuxième où attendait une moto or et bleu drapeau.

— Pleins gaz! s'écria Majid.

La moto s'arracha dans un bruit de tempête et entama un parcours vertigineux dans des lacets de montagne. Les soubresauts de la machine, les virages, les précipices, tout était d'un réalisme à vous rendre malade. Une carte apparut dans un coin de l'écran. Majid ne prit pas le temps de l'examiner à la loupe. Il cliqua tout de suite sur Golem City.

Majid était allé loin dans le jeu, plus loin que Jean-Hugues avec Golémia. Il avait déjoué tous les pièges et était entré au cœur de Golem City. C'était une ville effarante, à la fois crasseuse et futuriste.

Majid semblait connaître déjà tous les tripots de jeu, toutes les fumeries d'opium. Parlant avec tous, clochards, bourgeois ou gangsters, le petit guerrier parcourait la ville sur sa moto. Mi-voyou, mi-chevalier, il entassait armes, trousses de soin et paquets de dollars dans des sacoches sans fond. Jean-Hugues regardait faire Majid, naïvement admiratif. Ils étaient l'un contre l'autre, riant et s'exclamant. On aurait dit le grand frère et le petit.

Mme Badach s'arrêta dans leur dos, attendrie. Elle songea aux six frères de Majid et plus encore à Haziz dont elle n'avait plus de nouvelles. Elle secoua la tête pour en déloger le chagrin.

L'écran afficha :

```
Pour connaître ta troisième mission,
tape EME.
```

Majid s'exécuta et le petit guerrier, le heaume toujours baissé, tel un motard casqué, se retrouva au pied d'un ascenseur.

— C'est Golem's Victory, le plus grand building, commenta Majid. Il y a 172 étages. J'ai cru que j'allais devenir fou ! C'est pourri de pièges. Je suis mort quatre fois.

Mais, à force de se battre, Magic Berber avait fini par comprendre que le septième étage était le seul réellement accessible.

— C'est pas compliqué à retenir, dit-il. Comme je suis le septième fils Badach…

— Alors, moi, j'ai intérêt à me rendre au premier étage, s'amusa Jean-Hugues. Comme je suis fils unique.

— Ah ouais ? T'es peinard, au moins.

Tout en bavardant, les deux garçons suivaient les déplacements du petit guerrier sur l'écran. Sur la porte de la chambre 777 était posée une main invitant à cliquer.

— À toi l'honneur, dit Majid en poussant la souris vers Jean-Hugues.

La porte s'ouvrit. On était dans une chambre d'hôtel vide.

— Et qu'est-ce qu'on fait ? demanda Jean-Hugues.

— J'en sais rien, avoua Majid. J'ai cherché pendant une demi-heure, l'autre soir. Y a pas de pièges, pas d'ennemis. Y a rien à prendre. Je comprends pas.

Jean-Hugues baladait le curseur à travers l'écran. La chambre était vraiment vide. Pourtant, le client y avait laissé une valise, des vêtements épars, un verre à demi bu.

— C'est quoi, ça ? questionna Jean-Hugues en posant l'index sur un coin de l'écran.

Il y avait une tache blanche au pied du lit. Un gros tas de pixels.

— C'est un bogue, répondit Majid.

Ils restèrent silencieux, soucieux presque, parcourant l'écran des yeux.

— Bloqué, finit par admettre Jean-Hugues.

Le petit guerrier semblait penser de même. Il s'était immobilisé, de dos, sa sulfateuse au repos. L'écran soudain se brouilla. Jean-Hugues et Majid en éprouvèrent un certain soulagement. Rien de plus pénible qu'un casse-tête sans issue.

— Bon, dit Jean-Hugues rêveusement.

— Ouais, fit Majid en écho.

Ils étaient encore un peu hébétés d'avoir passé tout ce temps à jouer.

— Holà, huit heures ! s'affola Caliméro. J'ai pas prévenu ma mère. Heu… je file. Au revoir, madame Badach !

À dos de dragon, le retour aurait été plus rapide, d'autant que l'ascenseur des Colibris était encore en panne.

Cette nuit-là, Jean-Hugues tourna et retourna dans sa tête l'énigme de la chambre 777. Vers une heure du matin, il sentit poindre une idée. Le tas de pixels. Oui, c'était ça. Mais il s'endormit sans aller au bout de son intuition.

Aux Colibris, Mme Badach rêva de Haziz qui l'appelait au secours. Magic Berber, lui, chevaucha sa moto pendant la moitié de la nuit.

Mais personne, non, personne ne vit, ni en rêve ni en réalité, le petit nuage de fumée qui s'échappait de l'appartement des Badach.

CHAPITRE IX

GOLEM-ÔKH

Le lendemain matin, Mme Badach s'éveilla avec le cœur courbatu de ceux qui ont beaucoup souffert parce qu'ils ont beaucoup vécu. Tous ces garçons, mon Dieu, tous ces garçons ! Elle avait eu tant de peine à les élever… De temps en temps, l'un ou l'autre téléphonait. Bien sûr, chacun fait sa vie. C'est normal. Et tout en préparant les brochettes que le petit Majid allait dévorer, Emmé essayait de se dire qu'elle était heureuse.

Soudain, elle prêta l'oreille à un bruit qui venait du salon depuis un moment.

— Majid ?

Mais non, le gamin était au collège. Mme Badach passa la tête par la porte de la cuisine. Il n'y avait personne. Mais on entendait un bruit semblable à du papier qu'on froisse ou au grésillement d'un insecte. Peut-être y avait-il des travaux dans l'immeuble ? Mme Badach retourna à ses brochettes.

Le bruit était tout proche. Il venait vraiment du salon. Pas du couloir ou de chez les voisins. Emmé n'était pas peureuse. Mais elle avait fait un mauvais rêve pendant la nuit et elle croyait au rêve.

— Haziz ?

Un instant, elle avait cru que quelqu'un était de l'autre côté de la porte et elle avait pensé au fils disparu. Elle alla de nouveau au salon. Les Babar dans leur beau costume vert avaient l'air bien inoffensif. Mais le bruit était là, entre ces quatre murs.

Au collège des Quatre-Cents, Jean-Hugues remplissait les bulletins scolaires dans la salle des profs. Mais sa pensée était ailleurs. Il cherchait à résoudre l'énigme de la chambre 777. Le seul bogue du jeu Golem empêchait probablement la résolution de celui-ci. Il était évident que le tas de pixels masquait quelque chose. Si Golem avait été commercialisé, Jean-Hugues l'aurait reporté au marchand. Mais le jeu n'existait que sur Internet. Dès lors, à qui se plaindre ?

— Bonzour !

Jean-Hugues releva la tête et adressa à Nadia un sourire machinal qui n'en était pas moins craquant. Il venait de repenser à son intuition de la nuit passée. Il lui semblait avoir frôlé la vérité. La tache blanche. La troisième mission. Quelle était la quatrième ? Le golem. Il avait lu quelque chose sur le golem chez Majid.

— Vous connaissez la légende du golem ? demanda Jean-Hugues.

Nadia fit un effort pour avoir l'air de trouver la question toute naturelle, à 10 h 05, en salle des professeurs.

— C'est ce que vous allez étudier avec vos élèves ? répondit-elle.

— Non.

Nadia étouffa un petit soupir. Décidément, ce garçon était bizarre.

— Ze crois que c'était un zenre de monstre, non ?

— Oui, confirma Jean-Hugues. On le créait à partir d'un tas de…

Il resta la bouche ouverte, les yeux au-delà… au-delà du réel. Un tas de pixels !

— … un tas de boue, compléta Nadia.

À midi, Jean-Hugues renonça à son repas à la cantine et courut jusque chez lui. Il voulait retrouver le site sur le golem que Majid lui avait montré et lire la phrase qui lui manquait :

« Puis le mot EMET, c'est-à-dire "vérité" en hébreu, devait être écrit sur le front du golem pour lui donner la vie. Quand la première lettre était effacée, ne demeurait plus que le mot MET, "mort", et le golem retournait au néant. »

Pour s'emparer du dragon ou de la moto, il fallait taper la lettre E. Pour entrer dans Golémia ou à Golem City, on tapait EM. Majid avait effectué sa troisième mission en tapant EME. En somme, il ne manquait plus que la lettre T pour qu'apparaisse la vérité : EMET. Majid touchait au but. L'intuition de la nuit passée était devenue pour Jean-Hugues une certitude. Il tapa sur son clavier :

```
<Caliméro> Dès que tu retombes sur le jeu,
    retourne à la chambre 777. Tape les
    lettres EMET et clique sur le tas de
    pixels. Ce n'est pas un bogue. C'est un
    golem.
```

Ce jour-là, Majid revint aux Colibris en compagnie de Samir. Ils étaient devenus grands copains. Dans un coin de sa tête, Majid avait un peu peur de Samir. Mais il était flatté.

— *Emmé, hayé red !*

Emmé parut sur le seuil de la cuisine. Elle avait l'air fatigué.

— Ça va pas ? remarqua Majid qui était plus attentif qu'il n'y paraissait.

— Ci les travaux dans l'immeuble. Je crois ils refont l'ilictricité.

— Normal. Avec toutes ces pannes !

Majid se pencha au-dessus de son écran d'ordinateur et lut le message de Caliméro.

— C'est quoi ? demanda Samir, intrigué par ce qui semblait un langage codé.

Magic Berber n'eut qu'un instant d'hésitation puis il raconta tout. Que Caliméro, c'était le prof de français. Qu'ils avaient trouvé un jeu trop fort sur Internet. Et qu'un golem, c'était un genre de Frankenstein. Samir clignait des yeux, grimaçait, répétait : « Ah ouais ? Ah ouais ? » L'envie lui dévorait le cœur, l'envie d'avoir cet ordinateur, de jouer à ce jeu, de prendre la place de Majid.

— Mais comment on fait pour jouer à Golem ? questionna-t-il.

— Ça, c'est le problème. C'est un jeu qui squatte le réseau. Tu peux pas jouer quand tu veux.

Samir semblait fasciné par ce jeu pirate. C'était peut-être le prototype d'un jeu qui serait bientôt commercialisé ?

— Tu sais quoi ? proposa-t-il. Ça serait bien de le graver. J'ai un cousin qui a un graveur de CD.

Samir avait toutes sortes de cousins qui possédaient toutes sortes d'objets coûteux.

— T'imagines ? On lui ferait faire des petits.

— Et on les vendrait ? suggéra Majid, ébloui.

— Non ? Tu crois ? se moqua Samir. Y aurait de quoi s'en mettre plein les fouilles. Tu pourrais te payer la Mob.

Il cligna de l'œil :

— Et te payer Aïcha.

Majid regarda vivement derrière lui.

— Mais non, ta reum est pas dans le secteur, le rassura Samir.

Majid fit semblant de ricaner. Ça ne lui plaisait qu'à moitié de jouer les racailles.

— Dis donc, ton jeu, c'est pas ça ? demanda soudain Samir, les yeux sur l'écran.

Majid tressaillit. Si ! C'était Golem. Le jeu s'était installé spontanément.

— Comment ça marche ? fit avidement Samir en s'emparant de la souris.

— Attends, attends, s'affola Majid.

Il venait de comprendre qu'il s'était fait déposséder d'un secret, que l'autre allait lui voler une part du mystère. Le jeu afficha :

Entre ton nom.

Samir tapa son prénom sur le clavier.

— Non, protesta Magic Berber, il faut pas mettre son vrai nom !

— Et pourquoi pas ? le nargua Samir en appuyant sur la touche Entrée. Tu sais, j'ai déjà joué sur l'ordinateur de mes cousins.

— Oui, mais ce jeu, c'est pas pareil.

— Pas pareil que quoi ?

L'écran afficha :

`Choisis ton arme, Samir.`

— Pourquoi le *m* est souligné ? demanda Samir, l'esprit à l'affût.

— Je sais pas, mentit Majid.

— Gros bouffon, le traita Samir en appuyant sur la lettre M du clavier.

Quatre armes étranges apparurent dans le coin gauche de l'ordinateur. Des arquebuses baroques, des mitrailleuses d'un autre monde… Samir choisit une sorte de fusil qui se terminait par un crochet. Quand le petit guerrier commença son entraînement, le crochet partit dans un sifflement strident. Un filin le raccordait au fusil, transformant le tout en un harpon redoutable. Le crochet disparut. On entendit un coup sourd, un cri horrible et du sang dégoulina du haut de l'écran. Samir salua l'exploit d'un rire féroce :

— Ah, ah, trop mortel !

L'écran ordonna :

`Pour connaître ta première mission, tape E.`

Le guerrier avançait à marche forcée, le jeu s'accélérait. Majid se taisait. Samir jubilait.

— Je prends quoi comme porte ? demanda-t-il, une fois dans le couloir dallé de marbre.

— La deuxième à gauche, conseilla Majid.

Histoire que Samir se fasse sulfater un bon coup. Mais la commande se bloqua et Samir ne put ouvrir la porte.

— Il est bogué, ce putain de jeu !

— Samir, ti parles le français courrec ! lança Mme Badach du seuil de la cuisine.

— Houps, pardon, madame ! Je dirai plus « bogué », rigola Samir.

— Oui, oui, fit Emmé, ti te crois plus malin que tout le monde. Mais la vie, ci plus malin que toi.

— Et Golem, c'est plus fort que toi ! singea Samir. Bon, je fais quoi, moi ? Je vais à la troisième porte ?

Il n'attendit pas la permission. La porte s'ouvrit sur un cimetière au clair de lune. Samir n'eut pas le temps de comprendre ce qui lui arrivait. Le petit guerrier fit un pas en avant et ce fut un pas de trop. Une immonde bête lui dégringola sur le dos, exactement comme si elle avait tendu une embuscade, accrochée en haut de l'écran. Elle s'agrippa au guerrier et lui planta ses crocs dans le cou.

— Saloperie ! cria Samir en appuyant sur la gâchette de son fusil-harpon.

Cela ne servit à rien puisque la bestiole était sur le dos du guerrier.

— Dommage, dit Majid sans cacher sa satisfaction.

L'écran, lui aussi, triomphait :

```
Saigné !
> recommencer la partie
> quitter la partie
```

— Faut commencer par la porte de droite, conseilla Majid.

— Non ? Tu crois ? s'exclama Samir, feignant l'étonnement.

Mme Badach posa près des garçons deux petits verres fumants de thé à la menthe. Elle jeta un regard à l'écran. Elle n'y comprenait pas grand-chose à ces histoires d'ordinateur et surtout elle voyait de moins en moins comment ça pouvait rendre intelligent.

Samir ouvrit la porte de droite et le petit guerrier entra dans une chapelle. Un crucifix décoré d'une guirlande de fleurs d'ail trônait sur un autel. De chaque côté, une gargouille en pierre semblait méditer sur son destin.

— Gare aux gargouilles ! avertit Majid.

— Non ? Tu crois ? répéta Samir dont c'était la scie du moment.

Il appuya sur la gâchette de son fusil, agrippa le crucifix avec son harpon et l'attira vers lui.

— Ça y en a bonne médecine pour missié vampire, commenta Samir en prenant l'accent petit nègre.

De fait, à la vue du crucifix, le vampire s'aplatit devant le petit guerrier. Et c'est à dos de vampire que celui-ci s'éleva dans les airs.

Les cieux se révélèrent assez encombrés de chauves-souris et de sorcières. Quant au cimetière aux pierres tombales mal refermées, il céda la place à une lugubre carrière hantée de dames blanches puis à une lande que parcourait un cheval aux orbites vides. Plus que tout, l'ambiance sonore était oppressante, faite de grincements, de plaintes et de hennissements.

— Trop trop mortel, ce jeu ! s'extasia Samir, plus excité qu'un buveur de sang.

Une carte s'était affichée, une vieille carte à demi brûlée où Majid et Samir parvinrent à déchiffrer le nom de la capitale, Golem-ôkh.

La nuit, une nuit éternelle, régnait sur Golem-ôkh, l'ensorcelée. Chaque porte se faisait herse à l'approche du guerrier, chaque escalier se dérobait en oubliettes. Samir mourut cinq fois, empalé ou la tête volant en éclats. Il semblait que le sang restât collé à l'écran.

— On va se faire un blé avec ce jeu ! s'enthousiasma Samir.

Ayant enfin échappé aux goules et aux spectres de Golem-ôkh, Samir se retrouva devant un château tout en tourelles et en créneaux, plus ouvragé qu'une dentelle. Chaque fenêtre était éclairée par une lumière verdâtre.

Le petit guerrier entra, puissamment armé grâce à ses précédents combats. Nul pâle fantôme, nul majordome aux dents pointues ne pouvaient plus l'arrêter. Ayant exploré le château, il se retrouva dans une geôle.

— Qu'est-ce qu'on fait, maintenant ? s'interrogea Samir.

Il y avait un squelette enchaîné au mur, un rat, un vieux pot cassé. Rien à prendre, rien à tuer, nulle part où aller. Samir essaya de faire parler le squelette en s'approchant de lui puis en cliquant sur la barre d'espace. Sans résultat.

— Tiens, y a une pétouille dans ton jeu, fit observer Samir.

C'était une tache blanche. Le même tas de pixels que dans la chambre 777.

— Attends, faut faire ce qu'a dit Caliméro !

— Caliméro, ricana Samir.

Majid tapa les lettres EMET. La vérité. Allait-elle apparaître ? Majid pointa la flèche sur le bogue et il cliqua. Rien.

— Essaie l'autre bouton de ta souris, conseilla Samir.

Clic. Le tas de pixels frémit. Lentement, il se modela, s'évasant vers le haut comme sous la main d'un invisible potier. Lentement, silencieusement, l'écran afficha :

```
Maître, voici ton golem !
```

CHAPITRE X

MERCI, BUBULLE !

Mme de Molenne n'était pas peureuse. Mais le petit bruit qui se fit entendre tout un matin dans sa maison finit par lui mettre les nerfs à vif. On aurait dit ce crissement qu'on entend sous les lignes à haute tension. Ou le grésillement d'un insecte qui se brûle à une lampe. À plusieurs reprises, en touchant à une clenche métallique, Mme de Molenne reçut une petite décharge électrique. D'ailleurs, ses fins cheveux étaient incoiffables et crépitaient presque sous ses doigts quand elle essayait de les discipliner. Elle eut finalement l'idée d'aérer la maison et les courants d'air balayèrent l'électricité statique.

Après avoir refermé les fenêtres, Mme de Molenne constata que le bruit avait cessé. Elle se remit à sa couture, l'esprit tranquillisé. Elle se confectionnait une jupe pour ce printemps. Soudain, elle se retourna :

— Jean-Hugues ?

Mais non, son fils ne reviendrait qu'en début d'après-midi. Rêveuse, Mme de Molenne reprit le fil de sa couture. Et celui de ses pensées. Vivre seule avec ce grand jeune homme, ce n'était pas facile. Seule ? Elle avait sursauté. C'était comme une présence dans son dos.

— Hervé ?

Son mari était mort depuis plus de dix ans. Pourquoi l'avait-elle appelé ? Elle n'était pas peureuse de tempérament. Mais là, tout simplement, elle avait peur.

— Je vais aller faire un tour, dit-elle à voix haute.

La promenade lui fit du bien, mais elle dut faire un effort pour retourner chez elle. Elle eut un soupir de soulagement en entrant. Pour une raison qu'elle ignorait, Jean-Hugues était déjà de retour. Elle l'entendait qui travaillait dans son bureau.

— Jean-Hugues ? Tu as mangé ?

Elle ouvrit la porte.

— Jean...

Elle faillit hurler. Il n'y avait personne. Pourtant, elle était sûre d'avoir entendu du bruit, l'instant d'avant. Un bruit de papier froissé.

Jean-Hugues prit son temps pour revenir chez lui. Il avait eu cours en dernière heure avec les 5e 6. Miguel avait apporté la nouveauté du jour : la pâte à prout Mondialo. C'était un compromis entre la pâte « dégueu » et le bon vieux coussin péteur. En triturant la pâte à prout, on obtenait des variations sur un thème très apprécié des adolescents et qui suscitait des commentaires tels que :

— En voilà un qu'il est beau !

Ou :

— C'est qui qui a lâché une caisse ?

Le pot de pâte à prout Mondialo s'était promené à travers la classe de manière que Jean-Hugues ne puisse pas l'intercepter. Mais Majid l'avait maladroitement fait tomber quand on le lui avait confié et Caliméro avait pu le récupérer.

— Tu as vu ce que j'ai confisqué à mes 5e 6 ? lança Jean-Hugues en entrant chez lui.

Il riait, aussi content de son acquisition que s'il avait eu douze ans.

— Ah, te voilà ! s'écria Mme de Molenne comme si son fils revenait de la pêche à la morue dans les mers du Nord.

— Ben, oui, j'ai dix minutes de retard…

Il regarda sa mère, surpris. Elle l'avait toujours un peu trop couvé, son Caliméro. Mais là, ça devenait grave.

Mme de Molenne ne put lui expliquer par quelles angoisses elle était passée. C'était en fait inexplicable. Des bruits infimes, une sorte de présence, de l'électricité dans les poignées de porte… Rien de tangible, de vérifiable. D'ailleurs, tout était rentré dans l'ordre.

— Je… je vais travailler un peu dans mon bureau, marmonna Jean-Hugues.

Il jeta sa veste sur un fauteuil et posa la pâte à prout sur ses copies, en songeant qu'il en achèterait pour le fils de la voisine et pour le filleul de sa mère. Puis il s'assit devant son ordinateur. Un message l'y attendait :

```
<Magic^Berber> Jai fai comme ta dit pour la
     tache et cé vrai cé le golem. Il est
     horible il a même pa de figure. je peus
     pas bien tespliqué. Il faudré que tu le
     voye. Mais samir a fai une conerie avec
     le jeu…
```

— Samir ? s'écria Jean-Hugues, horrifié.

En quoi Samir était-il concerné par le jeu ? Et quelle connerie avait-il faite ? Jean-Hugues ne put obtenir la réponse. Golem venait de s'installer sur son écran avec le sans-gêne d'un vieux copain qui passait dans le quartier.

— Golem, fit Jean-Hugues, en imitant la voix profonde du jeu vidéo.

Il prenait maintenant la précaution de sauvegarder ses parties. Il se retrouva donc rapidement à Golémia.

Dans les parties précédentes, il avait esquivé les flèches des archers et son dragon avait pu se poser sur un toit plat. Pour faire une entrée discrète dans la ville, le petit guerrier avait confié sa monture à une vieille femme en échange de sa fiole. Mais il était tombé dans un guet-apens et les gardes de la ville l'avaient emprisonné. En frottant la lampe, Jean-Hugues avait obtenu l'aide d'un génie pour se libérer. Une fois évadé, il avait ramassé armes et points de vie dans divers endroits de Golémia grâce à sa boussole.

Ce jour-là, il se retrouva devant un palais des Mille et Une Nuits entièrement clos. De tous les objets qui lui avaient été donnés pour sa mission, il ne lui restait plus que la clef à utiliser. Or il y avait trois portes fermées. Sur la première qui semblait de bronze, un magnifique dragon était ciselé. Jean-Hugues pensa à son Bubulle et eut envie de tenter sa chance. Il passa tout de même à la deuxième porte. Elle étincelait comme de l'or et, la clef étant elle-même dorée, Jean-Hugues faillit se décider. Mais par acquit de conscience, il examina la troisième porte. Elle était en bois et sans décoration autre que le chiffre 111.

Jean-Hugues savait qu'il devait faire vite car le jeu pouvait disparaître d'un instant à l'autre. Il était persuadé que, derrière l'une des trois portes, il y avait une tache blanche.

— La porte d'or ? murmura-t-il.

Il en approcha le curseur. Mais au moment de cliquer, il repensa à la chambre 777 où se trouvait le golem de Majid. Ils avaient plaisanté un jour parce que Majid était le septième fils et que Jean-Hugues était fils unique.

— 111…

C'était stupide. Les concepteurs du jeu ne pouvaient évidemment pas savoir que Jean-Hugues était le seul fils Molenne. Mais plus Caliméro avait joué à Golem, plus il avait prêté à ce jeu vidéo des pouvoirs anormaux. Il cliqua sur la porte 111 et le petit guerrier se trouva soufflé par une explosion.

— Merde !

La barre rouge indiquant l'énergie vitale avait diminué de moitié. Encore une erreur et il faudrait retrouver la vieille femme à qui le guerrier avait donné sa fiole guérisseuse.

— Bon. Essayons le dragon, trancha Jean-Hugues.

Il cliqua sur la première porte et le dragon ciselé s'envola dans un cri. La porte s'ouvrit.

— Merci, Bubulle !

Jean-Hugues s'y attendait un peu. La pièce dans laquelle il entra était sans intérêt. Un lit à baldaquin, un coffre, un feu dans une cheminée. Jean-Hugues tapa EMET sur le clavier. Puis il promena son pointeur sur l'écran. Sur un tapis d'Orient, il y avait une vilaine tache blanche. Jean-Hugues y mit le pointeur et cliqua sur le bouton de gauche. Rien. Clic sur le bouton de droite.

Le tas de pixels frémit. Lentement, il se modela, s'évasant vers le haut comme sous la main d'un invisible potier. Lentement, silencieusement, l'écran afficha :

    Maître, voici ton golem.

CHAPITRE XI

JE VEUX MON GOLEM !

Quand il vit sur son écran le golem informe, moitié tas de glaise blanche, moitié tas de pixels clignotant, Majid ressentit un profond malaise. La créature avait un trou à la place de la bouche, des yeux comme cousus dans une chair molle, pratiquement aucune narine. Son corps plissé, pendouillant, farineux, se pencha pour une grotesque révérence. Une voix très basse mâchouilla ses mots :

— Maître, voici ton golem.

Samir s'écria :

— Aouah, ce qu'il est sexy ! Il va en tomber des fi…

Ce qui tomba, ce fut la tasse de thé à la menthe que Mme Badach avait dangereusement posée tout près du clavier. En saluant le golem, Samir venait de la renverser.

— Mais t'es fou ! hurla Majid devant le désastre.

Le thé brûlant et sirupeux s'était répandu sur les touches, provoquant la mort du clavier et la paralysie de l'ordinateur. L'image du golem incliné s'était fixée sur l'écran pour l'éternité. Majid voulut protéger ce qu'il restait de son ordinateur et l'éteignit sauvagement.

— Mais t'es fou ! hurla-t-il à nouveau en frappant Samir avec une violence insoupçonnée.

— Mais c'est toi qu'es ouf ! se débattit Samir.

Les deux garçons roulèrent sur la moquette. Mme Badach accourut et prit des coups en essayant de les séparer.

— Majid, Majid, pense à ton père !

Des sanglots la secouaient. Mais elle attrapa son fils à bras le corps et le sépara de son adversaire. Samir se redressa en essuyant le sang qui coulait de son nez.

— Il est pas bien, ce type, bredouilla-t-il. En plus, c'est que le clavier, madame Badach. J'ai des cousins qui peuvent lui en avoir un.

— Oui, voilà, dit madame Badach, la voix encore toute hachée par l'émotion, ti vas trouver une autre clavier. Moi, j'achète une autre. Ci pas grave, Majid, ci pas grave…

Elle le berçait presque.

— Mais je peux l'avoir gratos, madame Badach, insista Samir. Avec mes cousins, c'est pas un problème.

Dans sa tête, à toute vitesse, il était en train de monter un plan. De quoi se venger de ce petit crétin de Majid et de son Caliméro. De quoi lui rendre son coup de poing au centuple.

— Ti vois, dit Emmé, Samir il va l'avoir à Gratos, chez ses cousins. Ci pas un problème. Ci pas bien de se battre, Majid, y a tijours une autre solution.

— Oui, c'est ça, fit Majid, rageur et au bord des larmes. Mais maintenant, je peux plus jouer. J'allais l'avoir, mon golem et je l'aurai pas ! Et c'est la faute de ce gros bouffon !

Cela lui fit du bien de traiter Samir de bouffon. Il renifla un grand coup. Samir n'avait pas bronché sous l'insulte. « Ci pas un problème, Majid, ricana-t-il intérieurement en quittant l'appartement, je l'ai, l'autre solution. »

Quand Jean-Hugues vit son propre golem, il ignorait encore ce qui s'était passé chez Majid. Mais il comprit ce que Magic Berber avait voulu lui dire en lui parlant d'une créature sans figure. Le potier invisible ne faisait pas dans la finition. Après avoir élargi la base puis resserré le col, il s'était contenté de rouler la tête en boule et d'y tracer deux ou trois coups de couteau. Les yeux, surtout, étaient affreux. Tout le pourtour semblait cousu à gros points de croix dans la chair molle des tissus. Le golem informe fit la révérence devant son maître.

— Eh ben, mon gros, l'accueillit Jean-Hugues, on n'est pas près de sortir ensemble !

Le golem lui répondit d'une voix pâteuse :

— Je suis ton golem. Fais-moi comme tu me veux.

La vieille machine à écrire se remit à mitrailler l'écran et Jean-Hugues put lire :

`Pour te faire ton golem, tape E.`

— Et c'est reparti pour un tour, murmura Jean-Hugues en enfonçant la touche E du clavier.

`Entre le nom de ton golem.`

Jean-Hugues resta un moment à rigoler devant la forme blanchâtre et pataude qui se dandinait en attendant la décision de son maître.

— Mon golem, se dit Jean-Hugues à mi-voix, si j'en faisais une golémette ? Ça doit pas être prévu par les concepteurs, ça.

Dans le cartouche, il inscrivit : Natacha. Aussitôt, une fiche signalétique se déroula du haut en bas de l'écran.

`Couleur des yeux`
`Couleur des cheveux`
`Couleur de la peau`

```
Longueur et coupe des cheveux
Taille
Poids
Mensurations
Forme des yeux
Forme du nez
Forme de la bouche
Forme du menton
Forme du front
Forme des oreilles
Dessin des joues
Dessin des arcades sourcilières
Signes particuliers
```

— Aouah ! s'exclama Jean-Hugues. Qu'est-ce que… Mais je…

Il était complètement affolé. Comme si toutes les nanas de la terre s'offraient soudain à lui. Il se leva en appelant :

— Maman !

Il se rua au salon. Mme de Molenne, qui travaillait à sa couture, eut un sursaut de frayeur.

— Qu'est-ce qu'il y a ?

— Le… les mensurations de Cindy Crawford, tu connais ?

— De Cindy Cr…

— Oui, elle ou une autre ! Les mensurations canon, c'est quoi ?

Mme de Molenne était psychologue. Elle savait donc qu'une mère doit se montrer très discrète dans toutes ces affaires. Si Jean-Hugues avait tout d'un coup besoin de connaître les mensurations idéales d'une fille, elle ne devait pas chercher à savoir pourquoi.

— Eh bien, écoute, je crois que 85-60-80, ce n'est pas mal du tout.

— 85 ? répéta Jean-Hugues, un peu méfiant. C'est assez ?

— Eh bien, écoute, je crois que c'est déjà…

Embarrassée, elle rit un peu et bafouilla :

— Non, je t'assure, c'est… c'est suffisant.

Jean-Hugues fit un petit signe de tête comme pour remercier du renseignement et il retourna s'enfermer dans son bureau, laissant sa mère entre espoir et inquiétude.

Plein d'ardeur, Caliméro se réinstalla face à son ordinateur et commença à remplir la fiche signalétique de Natacha.

Il tapa sur son clavier ce qui lui semblait le plus urgent : 85-60-80.

Le petit golem apparut en face des renseignements et le potier invisible le façonna vigoureusement.

— Ah ouais ? fit Jean-Hugues, interloqué.

C'était une tout autre forme qui apparaissait, avec des pleins et des déliés, mais modelée dans du nuage. À « couleur des yeux », Jean-Hugues n'eut qu'une seconde d'hésitation avant d'inscrire : « verts ». Les pauvres yeux cousus du golem se tintèrent d'un vert sombre.

— Pas fameux, critiqua Jean-Hugues.

Il rectifia : « vert clair ». Puis se mit à délirer : « avec des petites paillettes d'or quand il fait soleil et des éclats plus sombres quand il pleut ». Une incroyable palette de couleurs s'afficha à l'écran. Jean-Hugues choisit un vert tendre nuancé de reflets dorés. Puis il se cala plus confortablement dans son fauteuil. Il allait passer un bon moment. Pour la couleur des cheveux, une palette de coloris s'afficha également.

— Bon, alors là, pas d'hésitation, les enfants, c'est « blond vénitien ». Voilà… Quelle horreur !

Le golem blafard était de plus en plus ridicule avec sa flambée de cheveux mal peignés et ses yeux verts cousus au point de croix.

Jean-Hugues s'empressa de doter son golem d'une couleur de peau moins farineuse.

— Bon, on va mettre : « léger hâle ». J'ai horreur des filles cuites au soleil. Mais là, ma chérie, tu es vraiment trop pâlichonne.

Le nuage, en se compactant, prit davantage la consistance de la chair, une chair délicatement hâlée. Les possibilités offertes par le jeu semblaient vertigineuses.

— Un petit tour chez le coiffeur, maintenant !

Jean-Hugues réclama une longue natte avec une frange, puis changea d'idée, demanda des cheveux libres sur les épaules et :

— « Avec des boucles, mais pas trop », tapat-il sur son clavier. Voyons ça. Ah ! ben non, je préfère la natte.

Il joua un moment à natter puis dénatter sa créature. Finalement, il se raisonna. Elle pourrait se natter dans la journée, et laisser aller ses cheveux sur l'oreiller la nuit.

— Taille ? Attends, je mesure 1,77 mètre. J'ai pas envie de faire nabot à côté d'elle. « 1,70 m » et poids : « 53 ». Je veux pas un tas d'os non plus. Okay ?

Le résultat était encore loin d'être concluant. Le visage sans traits devenait de plus en plus effrayant au fur et à mesure que le golem se féminisait.

— Te vexe pas, trésor, mais on va faire un peu de chirurgie esthétique, poursuivit Jean-Hugues. Je te mets « des yeux très grands, un rien en amande ». Et sans points de croix autour, merci ! Plutôt « avec de longs cils soyeux ». Tu vas finir par faire une sacrée crâneuse. Le nez... Tu veux un nez comment ?

Il semblait interroger son écran.

— Droit, hein ? On va le faire classique. Mais petit. La bouche ?

Jean-Hugues resta un long moment en méditation. C'était un point important. Grosse ? Pulpeuse ? *Brr*, ça fait mangeuse d'homme… Mince et bien rouge ? Ça fait 36 15 Cruella. Jean-Hugues se décida : « Bien dessinée, assez grande, discrètement maquillée ».

Le menton fut demandé « rond, bien modelé, pas double, quoi ! » et le front « droit et intelligent ». De petites oreilles, des joues assez pleines avec des pommettes hautes, des sourcils en arc complétèrent l'ensemble. Chaque demande, parfois simplifiée par l'ordinateur, avait été satisfaite. Jean-Hugues resta en admiration cinq bonnes minutes devant Natacha.

— Canon ! murmura-t-il, ébahi par ses talents de créateur.

Il jeta un coup d'œil derrière lui pour s'assurer que la porte était bien fermée entre sa mère et lui et il ajouta cinq centimètres au tour de poitrine. Il émit un sifflement.

Malgré tout, Natacha était à peu près aussi sexy qu'un mannequin dans une vitrine. Il lui manquait ce quelque chose que toutes les filles ont, qu'elles aient ou non les yeux vert clair et les cheveux blond vénitien. Aussi, Jean Hugues ajouta :

Signes particuliers : C'est une VRAIE nana !

Dès que Jean-Hugues eut émis ce souhait, Natacha apparut, vêtue d'un petit short et d'un débardeur. Elle envoya un baiser dans les airs puis s'immobilisa, les mains aux hanches, rebelle et charmante. Sexy !

— Nom de nom de…

Jean-Hugues ne put rien dire de plus. Il allait trouer l'écran à le regarder comme il faisait.

— Jean-Hugues ! Téléphone ! dit Mme de Molenne, en passant la tête par la porte.

— Hein ?

— Téléphone. Ta copine.

— Quelle copine ? s'interrogea Jean-Hugues, en détachant difficilement ses yeux de l'écran.

— Mais Nadia, la prof de SVT ! s'impatienta sa mère. Tu te dépêches un peu d'aller lui répondre ?

Jean-Hugues gonfla les lèvres dans une moue de gosse. Il allait l'envoyer promener, cette fille ! À l'instant où il se souleva de son fauteuil, l'image de Natacha s'effaça de l'écran.

— Mon golem ! hurla Jean-Hugues.

CHAPITRE XII

BIEN OUÈJ !

Les vacances de printemps approchaient. Les élèves de 5ᵉ 6 avaient reçu leur relevé de notes, Sébastien les félicitations du proviseur et Aïcha deux claques de son père.

— Et ta mère ? demanda Jean-Hugues à Majid.

— Quoi, « ma mère » ? fit le garçon, en avançant le front.

— Qu'est-ce qu'elle a dit de ton bulletin ?

— Rien.

— Ça lui est égal ? s'étonna le jeune prof.

— Mais elle sait pas lire ! avoua Majid.

Jean-Hugues, choqué, hésitait à comprendre :

— Tu ne lui as pas lu la phrase sur le redoublement…

— C'est pas la peine. Je vais travailler au troisième trimestre, bougonna Majid. Je redoublerai pas.

Ils étaient tous les deux dans la classe, à la fin des cours. Ils ne faisaient plus tellement d'efforts pour que leur amitié passe inaperçue.

— Et pour ton clavier ? s'informa Jean-Hugues.

Il ne le disait pas encore, mais il pouvait en offrir un à Magic Berber.

— J'en aurai un autre, samedi, répondit Majid, le regard fuyant. Bon, j'y vais. Salut ! On se parle sur IRC, dimanche ?

Caliméro sourit.

— J'aurai des trucs à te raconter, promit-il.

Il ne lui avait rien dit de Natacha. Ni sur la pâte à prout fluo qu'il avait trouvée à Mondiorama. Une superpromo. Quatre pots pour le prix de deux.

Samir avait promis un clavier gratuit à Majid. Mais les « cousins » de Samir avaient une façon de s'approvisionner en matériel informatique qui n'était pas entièrement réglementaire. Majid préférait que les adultes ne s'en mêlent pas. Et surtout pas Caliméro.

Samir avait donné rendez-vous à Majid pour le samedi soir dans les caves des Colibris. Comme il l'avait expliqué :

— Gratos, ça rime avec discrétos, vu ?

Sur le coup de dix-neuf heures, Majid commença à embrouiller sa mère avec toute une histoire de cousin à Samir qui était de passage dans la cité et qui avait un clavier en trop. Mme Badach trouva qu'il était bien tard pour aller chez des voisins.

— Mais j'en ai pour dix minutes ! s'énerva Majid.

Il attrapa son blouson sans laisser le temps à sa mère de protester et dévala les douze étages.

Habituellement, les caves des Colibris n'étaient pas accessibles. Il s'y était passé divers incidents, des fêtes qui avaient mal tourné et des bagarres entre bandes. Plus aucun habitant n'y stockait quoi que ce soit et la porte principale avait été une fois pour toutes cadenassée. Or ce soir-là, le cadenas avait disparu et Majid put entrer dans les sous-sols. Il pensa immédiatement à Golem City, aux tripots, aux fumeries clandestines. Il aurait bien aimé cliquer sur la touche 5 pour récupérer sa sulfateuse.

Samir avait promis à Majid qu'il l'attendrait dans la cave de ses parents, numérotée 312 et que, de là, ils iraient rejoindre ensemble le cousin dans d'autres caves qui communiquaient. Sur le moment, l'explication avait paru très simple. La tchatche de Samir était imparable. Maintenant qu'il avançait dans les sous-sols en comptant les numéros des portes, 309, 310, Majid trouvait ce rendez-vous plutôt louche.

— Samir ! appela-t-il.

La minuterie crépitait et menaçait de plonger Majid dans les ténèbres. 311, 312. La porte de la cave était entrouverte.

— Samir ? chuchota Majid.

Mais il était déjà certain qu'il était seul au rendez-vous. Seul ? Il sursauta. C'était ce stupide grésillement de la minuterie. Il était temps de rebrousser chemin.

C'est alors que Majid comprit qu'il avait été joué. Des voix lui parvenaient de la porte principale. Des voix d'hommes. Majid n'avait pas d'autre choix que de s'enfoncer plus profondément dans les sous-sols. Car si des adultes le trouvaient dans cet endroit qu'on avait condamné, comment pourrait-il justifier sa présence ?

Bizarrement, Majid n'avait pas peur de ceux qui le talonnaient et dont il entendait les propos :

— C'est par ici ?

— Non, allez tout droit ! C'est dans la 312, qu'il m'a dit, le type au téléphone !

Majid n'avait pas peur parce qu'il était le petit guerrier casqué. Barre d'espace, *toc*, *toc*, *toc*, il avance. W, il rampe. Flèche de gauche, il tourne à gauche. La lampe est cassée. Cette fois-ci, c'est l'obscurité, mais l'obscurité protège de l'ennemi. Les voix sont tout près.

— Regardez ! triompha l'un des poursuivants. Ils ont mis un tas de machins dans la 312 ! Tenez, un autoradio… et là, c'est quoi ? Un autoradio…

Majid s'accroupit derrière une caisse.

— Bon, le mieux pour le moment, c'est de remettre le cadenas, dit l'autre.

Le cadenas ! Majid allait se retrouver enfermé dans les sous-sols. Il faillit se redresser et hurler : « Attendez, je me rends ! »

Mais sa fierté de petit guerrier lui fit se mordre les lèvres jusqu'au sang. Les pas s'éloignaient.

— Vous prévenez la police ? dit l'un des deux hommes.

La police ! « Plutôt mourir de faim », pensa Majid, recroquevillé. En une seconde, il avait revu Haziz, son frère, le jour de l'arrestation. Un petit trafic de Mob volées. Le chagrin d'Emmé, la honte du père, les voisins sur le palier. Non, ça, jamais. Une crampe dans le mollet le contraignit à se redresser et c'est alors que la peur, la vraie, l'envahit.

Au fond du couloir venait de passer une forme blanche. Au même moment, toutes les caves se trouvèrent plongées dans l'obscurité.

— Vous trouvez pas la minuterie ? cria une voix.

— J'appuie, mais ça marche pas !

La forme s'était immobilisée. Blanche, visible dans la nuit, comme éclairée de l'intérieur. Majid la reconnaissait. C'était impossible. Mais Majid la reconnaissait ! Elle crépitait, lançant des étincelles bleutées.

— Emmé ! hurla le petit guerrier.

Il se précipita vers la sortie et dans la pénombre vint heurter l'un des deux hommes.

— Qu'est-ce que… J'en tiens un ! Il avait raison, le type au téléphone !

Il lança une seconde fois son cri de victoire :

— J'en tiens un ! Le type m'avait bien dit que ces voyous se retrouvaient dans les caves, le soir…

Majid se débattit en vain. L'homme, qui était le gardien des Colibris, l'empoigna méchamment et le tira vers la sortie.

— Regardez-moi ça, cette racaille ! dit l'autre. Il a quoi ? Dix ans ?

— Ah, mais je le reconnais, fit le gardien des Colibris. C'est un petit Badach. Ils sont au moins une douzaine. C'est la mère qui va être contente.

— Y a y a, balbutia Majid, complètement choqué. Y a un… Y a un…

— Fais pas celui qui comprend pas le français, hein ? dit le gardien en le secouant.

— Mais le go… le go…

— C'est ça, l'imita le gardien, ya, ya, melgo. Je vais te parler en arabe, moi, avec mon pied au cul !

Le gouffre du déshonneur. Il s'ouvrit ce samedi-là sous les pas d'un petit guerrier de douze ans. Il y eut l'appel téléphonique du gardien pour prévenir Emmé. La route de nuit jusqu'au commissariat. L'interrogatoire. La semonce de l'inspecteur. Emmé qui pleure. M. Badach qui arrive précipitamment de son travail. La claque. Le retour en silence jusqu'à la maison.

Au commissariat, Majid nia tout. Il n'était pour rien dans le trafic des objets volés, principalement des autoradios dont les voleurs n'avaient pas su quoi faire.

— C'est pas moi ! répétait Majid, l'air hagard. C'est Samir.

— Qui c'est, ce Samir ? demanda l'inspecteur à Mme Badach.

— Ci un copain, monsieur.

Elle aurait préféré ne pas en dire plus et porter seule son déshonneur. Mais l'inspecteur voulut savoir le nom de famille et l'adresse. Il cherchait à remonter la filière. Le petit qu'il avait en face de lui n'était évidemment pas responsable du vol de tous les objets entassés dans la cave 312.

— C'est la cave de Samir, accusa Majid.

L'inspecteur passa un coup de téléphone aux parents de Samir. La cave 312 ne leur appartenait pas. Ils avaient la 108. Majid comprit qu'il avait perdu la partie. Personne ne le croirait. Inutile de parler du rendez-vous et du clavier gratos. Il ne ferait qu'aggraver son cas.

Quant à dire ce qu'il avait vraiment vu dans la cave, Majid sentait bien que c'était dangereux. Une seule personne, peut-être, le croirait. Mais Magic Berber ne pourrait plus jamais communiquer sur IRC avec Caliméro. Car la punition était tombée :

— C'est fini, l'ordinateur, avait dit M. Badach.

Au collège des Quatre-Cents, la nouvelle fut connue de tous les élèves dès le lundi matin : Majid était allé au commissariat pour une histoire d'autoradios volés. Le lundi midi, le conseiller d'éducation en parla avec Mme Dupond, la professeur principale des 5e 6. Le lundi soir, Mme Dupond en discuta avec Nadia, la professeur de SVT. Et le mardi matin, Jean-Hugues fut mis au courant par Nadia.

— Pourquoi ?

Jean-Hugues et Majid étaient l'un en face de l'autre. Ils avaient attendu que tous les élèves qui les surveillaient du coin de l'œil finissent par s'en aller.

— Pourquoi tu as fait ça ?

— J'ai rien fait. C'est Samir. Je vais le tuer !

Jean-Hugues tressaillit. La haine donnait une intonation d'homme au petit Majid.

— Qu'est-ce que tu racontes ? Samir n'est pas concerné…

— À peine, ricana douloureusement Majid. Il savait qu'il y a plein de cochonneries d'autoradios dans cette cave. Il m'a donné rendez-vous et il a prévenu le gardien. Avec un coup de téléphone anonyme.

L'explication parut peu claire à Jean-Hugues.

— Mais pourquoi Samir t'a donné rendez-vous dans une cave ?

C'était là que Samir avait bien joué son coup.

— Il m'avait promis un clavier gratos, bredouilla Majid.

— Gratos ? Dans une cave ? s'étonna Jean-Hugues.

Il secoua la tête en soupirant. Ces gamins ! Plus ils vous expliquaient leurs embrouilles, moins on comprenait.

— C'est idiot, dit Jean-Hugues. Un clavier, je pouvais t'en avoir un sans le voler !

Voyant son copain au bord des larmes, il ajouta :

— Je peux toujours, d'ailleurs…

— C'est plus la peine, dit l'enfant en relevant fièrement la tête. J'ai plus le droit de me servir de l'ordinateur.

Il y eut un silence. Caliméro venait de perdre son ami Magic Berber. Il tendit lentement la main à son petit élève :

— Ne recommence plus, dit-il, la voix brouillée.

Majid regarda la main tendue et, dans un dernier raidissement de son orgueil, il répondit :

— Je vous serrerai la main quand vous me croirez.

Majid quitta le collège, le cœur dévasté par la rage. Au bout de la rue, il aperçut Aïcha qui attendait, son sac de classe entre les jambes. Aïcha sans Nouria. C'était plutôt rare. Majid n'avait pas l'intention de lui parler. Mais il n'avait pas non plus l'intention de l'éviter. Il passa devant elle. Ce fut elle qui l'interpella :

— Majid !

— Quoi ? J'ai rien à te dire !

Un mot de trop et il cognait. Mais son désir de convaincre au moins une personne fut le plus fort et il ajouta :

— J'ai rien volé.

Embarrassée, la petite baissa la tête :

— C'est pas pour ça. C'est à cause de quelque chose que j'ai vu. Nouria me croit pas.

Elle n'avait personne à qui confier son secret. En voyant Majid si malheureux, elle avait tout de suite pensé que lui ne se moquerait pas d'elle.

— Quelque chose que t'as vu ? répéta Majid.

Ils se mirent en marche côte à côte, les poings dans les poches. Lui pensant à ce qu'il avait vu dans les caves, elle pensant à ce qu'elle avait vu près de la porte des Badach.

— Mais t'en parles à personne d'autre ? lui fit promettre Aïcha.

— C'est un secret ?

Majid réfléchissait. Et s'ils avaient tous les deux quelque chose à se dire ?

— Vas-y, décida-t-il. J'ai aussi un secret. Je te le dirai après.

Donnant, donnant. Ils se parlèrent à voix basse, tout près l'un de l'autre, et les poings dans les poches. Le secret d'Aïcha était surprenant. Le secret de Majid était incroyable.

CHAPITRE XIII

CHERS COUSINS

Samir comprit très vite que le tour joué à Majid allait lui coûter cher, très cher. Un samedi, alors qu'il traînait devant la barre des Colibris, une Volvo diversement cabossée ralentit à sa hauteur. La portière avant s'ouvrit.

— Monte, fit la voix du conducteur.

— S'il te plaît, ajouta une autre voix à l'arrière. N'oublie pas d'y dire : s'il te plaît.

Les cousins. Samir avait des douzaines de cousins à la mode algérienne. Mais ces deux-là, inséparables, lui faisaient peur. Que lui voulaient-ils ? Il était inutile de chercher à leur échapper. Dans la cité, ils le retrouveraient toujours. Samir s'assit sur le siège avant du véhicule.

— Qu'est-ce qu'y a ? demanda-t-il, le front baissé, comme prêt à la bagarre.

— Tu sais plus dire bonjour? fit la voix à l'arrière. Bonjour, Miloud, bonjour, Rachid?

Rachid parlait toujours sur ce ton sucré qui faisait penser, on ne savait pourquoi, au fil d'une lame de rasoir.

— On voulait te féliciter pour la planque, ajouta Miloud en redémarrant. C'était une bonne idée d'y amener tes copains.

Samir fronça les sourcils. Il était clair que les grands lui reprochaient quelque chose de grave.

— Quoi? Quelle planque? J'ai rien fait. De toute façon, y avait rien dans la cave.

Samir avait compris qu'il était question de la cave 312. Mais il savait parfaitement qu'il n'y avait là que des autoradios impossibles à écouler.

— Elle était désaffectée, ajouta-t-il.

— Qu'est-ce qu'elle a d'infect, cette cave? s'informa Miloud qui s'était fâché de bonne heure avec l'école.

Samir haussa discrètement une épaule.

— « Désaffectée », répéta-t-il, ça veut dire qu'elle servait plus à rien. Toutes les caves des Colibris sont désaffectées.

— Tu vas pas nous apprendre à parler, Samir, fit Rachid à l'arrière. Et puis, justement, les caves, elles nous servent à quelque chose.

— Ouais, fit Miloud, on les a réinfectées, figure-toi.

— On dit pas…

Samir arrêta là son cours sur le bon usage du français. Il venait de sentir quelque chose tout en haut du dos. C'était pointu, ça faisait mal, ça ne demandait qu'à s'enfoncer davantage. La Volvo roulait sur une départementale peu fréquentée. Samir se faisait l'effet d'être dans un de ces téléfilms du samedi soir où les cadavres tombent par la portière avant des voitures.

— Il y a quoi dans ces caves ? murmura-t-il.

— Du matos, répondit Miloud. Une commande d'un DJ superbranché, mon pote.

— Pas de détails, coupa Rachid.

— Mais les keufs ont rien trouvé dans la cave, fit observer piteusement Samir.

— Sois poli, le reprit Rachid. Tu ne dis pas « les keufs ». Il va falloir être poli, maintenant. Compris ?

La pointe avait transpercé le blouson de Samir.

— Compris ?

— Oui, Rachid.

— S'il te plaît, Samir, poursuivit Rachid, tu vois, je demande poliment, moi… Je te le prie, Samir, va chercher notre matos. Y en a pour une patate et demie. Va chercher avant que nos amis les policiers reviennent infecter les caves.

— Tu as deux jours, précisa Miloud. C'est dans la 401.

Il lui donna toutes les explications nécessaires pour mettre la main sur le précieux paquet puis il fit un brusque demi-tour et pila. Au loin, fondues dans la grisaille, se dressaient les tours des Quatre-Cents.

— Tu vois, on est sympas. On te remet dans la bonne direction.

Samir comprit qu'il allait rentrer à pied. Il profita de ce que la voiture était à l'arrêt pour se décoller du siège et faire face à Rachid.

— Pourquoi vous y allez pas vous-mêmes ? dit-il. C'est vos affaires, pas les miennes.

— Tu as attiré l'attention sur ces caves, répliqua Rachid. Ça va pas être facile d'en sortir le matos. Le gardien des Colibris aura l'œil.

— Mais on te fait confiance, ricana Miloud. Et si les flics te serrent, tu es mineur. Tu t'en tireras.

Samir fit un signe de tête. Les grands l'envoyaient au casse-pipe. Écœuré, il entrouvrit la portière. Mais il se sentit brutalement saisi au collet et plaqué au siège. Rachid qui le tenait ainsi mit la pointe du couteau juste au bon endroit, sur la carotide.

— Attends, on t'a pas tout dit, Samir. Tu l'aimes, ta petite sœur, hein ? Alors, écoute bien.

Si tu te fais pincer, si on t'interroge et si tu nous balances… tu écoutes, Samir ?

— Oui, souffla le garçon, à demi étranglé par le col de son blouson.

— Tu reverras pas ta sœur. On abrégera ses souffrances, à la petite Ogéème. C'est comme ça qu'on dit en bon français ?

Les grands relâchèrent enfin Samir, meurtri et tremblant de rage, à plusieurs kilomètres des Colibris. Qu'on l'ait menacé, lui, Samir ne s'en souciait pas trop. Sa propre vie l'intéressait si peu. Mais ils avaient parlé de sa petite sœur, celle qu'il appelait tendrement Lulu et que les cousins avaient surnommée Ogéème. Ogéème comme OGM : organisme génétiquement modifié. Lulu souffrait d'une maladie génétique.

CHAPITRE XIV

AÏCHA TRAHIT

Majid jeta un regard désolé sur son moniteur Mondial PC à la belle coque bleu électrique. Mme Badach lui avait passé une sorte de nuisette en plastique transparent et elle avait scotché les deux lecteurs de l'unité centrale. Pour Majid, l'ordinateur, c'était plus que ce pauvre PC ligoté et bâillonné. L'ordinateur, c'était un lieu sans limites pour s'évader de la cité, c'était Caliméro et ce jeu étrange qui aurait dû rester leur secret.

Soudain, une pensée vint tourmenter Majid. Caliméro allait continuer à jouer à Golem. Il jouerait sans Magic Berber. Ça, surtout, c'était injuste. Il fallait l'en empêcher.

D'ailleurs, Jean-Hugues aurait bien voulu s'en empêcher. Lorsque Golem pointait son nez sur l'écran, Jean-Hugues détournait le sien comme pour lui dire : « Tu ne m'intéresses pas. » Mais le jeu le harcelait, et parfois d'une curieuse façon. Par exemple, un petit golem blanc et informe apparaissait sur l'écran et, comme le chat ou le mouton de certains programmes, il se déplaçait tout le long des marges ou traversait en diagonale, en hochant la tête pour s'excuser. Jean-Hugues était certain de ne pas avoir installé ce programme. Mais comme il était incapable de s'en défaire, il s'était résigné à cette nouvelle invasion. Il avait même baptisé « Joke » son nouveau compagnon.

Ce soir-là, Jean-Hugues se sentait une folle envie de cliquer sur son jeu et de partir à la recherche de Natacha. Il y pensait avec nostalgie comme on pense au flirt de l'été passé. Sa main s'était posée sur la souris. La sonnerie du téléphone lui vrilla la tête. Mme de Molenne l'appela.

— Mais c'est quoi ? bougonna Jean-Hugues en s'emparant du récepteur.

— Allô, m'sieur ? fit une voix timide, à l'autre bout du fil.

C'était Majid, Majid qui n'osait plus se prendre pour Magic Berber.

— Bonsoir, fit Jean-Hugues, un peu gêné.

Il ne savait plus trop où ils en étaient de leur relation. Le silence se fit entre eux puis Majid, n'y tenant plus, s'écria :

— Vous n'y jouez pas tout seul, quand même ?

Jean-Hugues se sentit pris en flagrant délit.

— Mais non, j'y ai pas touché ! protesta-t-il, sur le ton indigné qu'aurait adopté Mamadou.

Le silence revint. Caliméro prit une brusque décision :

— Tu es toujours privé d'ordinateur ?

— Oui.

— Et tu ne crois pas qu'on pourrait passer un petit marché avec ta mère ?

Jean-Hugues avait baissé la voix pour que sa propre mère n'entende pas.

— On lui dirait que tu vas te mettre sérieusement au travail. Je passerai lui parler, si tu veux. Mais attention ! Il faut que tu te mettes vraiment au boulot, hein ? Tu es intelligent, Majid. Je te garantis que dans une quinzaine, tes notes se seront redressées…

— Une quinzaine de quoi ? gémit Majid. Pas des jours, quand même ! Et toi, pendant ce temps, tu vas jouer !

Jean-Hugues sourit en s'entendant tutoyer. Magic Berber était de retour.

— Je te jure que non, promit-il, sans se douter que la promesse serait si difficile à tenir.

Majid faillit ajouter qu'il avait quelque chose d'important à raconter. Mais bizarrement, les premiers mots n'arrivèrent pas à se former sur ses lèvres. Non, ce secret-là, il le garderait. Avec Aïcha.

Tout d'abord, il y avait cette forme blanche aux contours molasses qui lançait des étincelles dans la nuit des caves. Majid ne pouvait se décider à dire ce que c'était réellement. Peut-être parce que ce n'était pas réel. Et il y avait cette petite fumée sans feu que Aïcha lui avait décrite et qui semblait sortir de sous le palier des Badach. Elle aussi lançait des étincelles. Pour s'assurer que le phénomène s'était vraiment produit, Aïcha et Majid avaient posé la main sur la trace de brûlé le long du chambranle de la porte. Tous deux s'étaient pris une décharge électrique, plus forte que lors du premier essai d'Aïcha, comme si la condensation électrique se poursuivait.

Majid n'avait aucune explication à proposer. Mais Aïcha avait son idée. La petite Malienne avait un grand-oncle marabout et elle avait entendu parler d'étranges choses qui se passaient au pays. Aïcha croyait que les âmes des morts reviennent tourmenter les vivants. Pour elle, les mauvais esprits hantaient les Colibris depuis les caves jusqu'au douzième étage. Pour Majid, les mauvais esprits n'existaient que dans les films d'horreur. Dès qu'ils pouvaient s'isoler, elle et lui, c'étaient de longues conversations pour savoir qui des deux avait raison.

Mais ce matin-là, Majid eut un choc en entrant dans la salle de cours de Mme Lescure. Aïcha, qui vivait collée à Nouria comme une sœur siamoise, s'était installée à côté de Sébastien. D'abord, Majid supposa que la petite essayait de se faire repasser les résultats des derniers problèmes de géométrie. Mais non, Aïcha ne cherchait pas à tricher. Incroyable ! Elle parlait à ce bouffon de Sébastien. Plus incroyable encore, Sébastien lui répondait ! Majid bouillait et essayait, sans grande réussite, de se concentrer sur ces histoires absurdes de lettres qui s'additionnaient comme des chiffres et qui semblaient tellement passionner la petite prof.

À la récré, Majid voulut obtenir des explications, mais trop tard… Aïcha et Sébastien s'étaient déjà isolés dans un coin de la cour. Majid n'était pas le seul à se sentir trahi. Nouria tirait une tête longue comme un jour sans couscous. D'elle-même, elle vint vers Majid.

— Tu as vu ? dit-elle en désignant le couple à l'autre bout de la cour. Elle et cet imbécile !

La jalousie lui faisait la voix sifflante.

— Ils ont le droit de parler, marmonna Majid, la mine sombre.

— Ah oui ? Tu sais de quoi ils parlent ? De fantômes !

Majid sursauta.

— Quoi ? Quels fantômes ?

— Tu n'es pas au courant ? Pourtant, ils sont électriques ! se moqua Nouria.

Majid en resta la bouche ouverte de stupeur. Aïcha racontait tout à tout le monde !

Un fantôme… C'est ce que Majid crut voir, le soir même, en passant devant Mondiorama. Le fantôme d'Aïcha. La petite était là, juste à la sortie de l'hypermarché, regardant son panier d'un air hébété. Majid hésita. Ce n'était pas son genre de faire des scènes à une fille. Autant passer son chemin. Mais Aïcha releva la tête et l'aperçut. Ce fut elle qui l'appela.

— Majid !

Il y avait de la détresse dans sa voix. Majid s'approcha avec défiance. Qu'avait-il à dire à une fille qui ne savait pas garder un secret plus de trois jours ?

— Majid…

Aïcha pleurait.

— J'ai perdu l'argent en courant !

— Tu as perdu l'argent ? répéta Majid.

— Mon père va me tuer.

Majid connaissait la brutalité du papa d'Aïcha. Malgré sa rancune, il posa quelques questions :

« Où tu as perdu tes sous, y avait combien, tu devais acheter quoi ? »

— Du Mondiaquick, du Mondial Cola et des patates.

Ils repartirent côte à côte vers les Colibris, en regardant à terre si un billet de vingt n'y prenait pas racine. À chaque pas, en entendant les reniflements de la petite, Majid se faisait des reproches. Après tout, Aïcha n'avait peut-être pas vraiment trahi. Elle n'avait parlé qu'à Nouria. C'était normal, c'était sa copine de cœur. Ils arrivèrent au pied des barres.

— Si tu veux, fit Majid du bout des lèvres, on peut demander à ma mère… pour l'argent.

Aïcha lui fit un sourire rayonnant. Qui ne connaissait le bon cœur d'Emmé ? Plus vive que le colibri, Aïcha posa un bisou sur la joue de Majid. Sûrement, elle n'avait rien dit à Sébastien. Majid essaya de s'en persuader. Malgré tout, le plus simple, c'était encore de lui demander. Ils montèrent tous deux par l'escalier.

— Dis, Aïcha, tu n'as pas parlé du fantôme à Sébastien ?

Les joues d'Aïcha avaient une belle couleur chocolat au lait. Quand elle rougissait, c'était du dégustation à 70 %.

— C'est pas de ma faute, bredouilla-t-elle. J'ai peur. J'arrive plus à dormir dans le noir. Je mets la lumière et après, mon père crie parce que je gâche l'électricité.

— C'est vrai, alors ? fit Majid, le ton sec. Tu as trahi ?

— J'ai peur des esprits. C'est pour ça que j'ai parlé avec Sébastien.

Ils étaient arrivés au douzième étage. Aïcha jeta un regard suppliant à Majid. Comme elle était jolie, avec ses yeux tristes qui n'en finissaient pas ! Majid sentit dans son cœur le poinçon de la jalousie.

— Et tu crois que les esprits ont peur des premiers de classe ? s'écria-t-il.

— C'est pas ça, se défendit Aïcha.

— Tu crois que Sébastien va faire peur aux fantômes ?

— C'est pas ça, répéta Aïcha.

Puis, à la grande surprise de Majid, elle corrigea :

— Enfin, si. C'est un peu ça.

Majid apprit ainsi que le premier de la classe était aussi premier en fantômes, vampires et loups-garous, qu'il avait chez lui tous les films avec Freddy, tous les livres de spiritisme, magie blanche et magie noire. Et que si quelqu'un pouvait chasser les mauvais esprits des Colibris, c'était ce bouffon de Sébastien.

CHAPITRE XV

MATIÈRE GRISE

Jean-Hugues contempla d'un œil morose l'assiette posée à droite du clavier de son ordinateur. Des biscottes beurrées, une crème de gruyère dans un papier argenté et trois rondelles de saucisson. Son dîner. Il y avait des jours comme ça où sa mère n'était pas d'humeur gastronomique.

— Tu t'embêtes, hein ?

Caliméro s'adressait au petit guerrier sur l'écran. Il semblait bouder, le heaume baissé, les bras croisés.

Sur les Quatre-Cents, la nuit était descendue depuis longtemps. Mais un soleil éblouissant illuminait Golémia. Pourquoi rester là, pourquoi attendre, alors que d'un simple clic… ? Le geste de Jean-Hugues fut machinal. Il avait repris la partie ou c'était la partie qui l'avait repris. Son visage renfrogné s'éclaira d'un sourire :

— Salut, Natacha !

Elle était là, dans sa chambre entre l'âtre rougeoyant et le lit à baldaquin. L'avantage, avec les filles virtuelles, c'est qu'on savait toujours où les trouver.

— Qu'est-ce qui te brancherait, poupée ? Resto, techno, dodo ?

Le jeu était perfectionné mais pas au point de lui permettre de converser directement avec la golémette. Jean-Hugues appuya sur la barre d'espace pour animer son petit guerrier. Il se serait bien passé de cet intermédiaire électronique pour entrer en relation avec sa blonde ! Quand le petit guerrier fut devant Natacha, un parchemin se déroula sur un quart de l'écran, portant les mentions suivantes :

```
Intelligence
Caractère
Pouvoirs
Qualités
```

Jean-Hugues cliqua sur la première ligne. L'image zooma sur le visage de Natacha et il en eut le souffle coupé. Avec ses yeux pailletés et sa bouche gourmande, Natacha pouvait rivaliser avec la plus top des tops. L'imitation avait même quelque chose de trop parfait car elle avait aussi dans le regard ce qui singularise les beautés sur papier glacé. Le néant.

— Dis donc, où tu étais le jour de la distribution des cerveaux ? l'apostropha Caliméro.

Il appuya au hasard sur diverses touches. Quand il fit Entrée, la chambre de la golémette disparut. Il se crut éjecté du jeu. Mais il avait simplement changé de lieu.

Face à lui, dans un décor inquiétant d'arbres torturés et de ruines sinistres, un crâne était posé sur une étendue de sable rouge. Par ses orbites, on voyait palpiter une masse verdâtre.

— Je ne voyais pas ça aussi vert, la matière grise, murmura Jean-Hugues.

Prudemment, il fit avancer son guerrier. De plus près, il découvrit que le crâne affectait la forme d'un château fort. Des tourelles ciselées dans l'os lui tenaient lieu d'oreilles, la ligne des dents déchaussées évoquait de vieux remparts croulants.

Caliméro restait sur ses gardes, surveillant les bestioles qui grouillaient alentour. Mais l'attaque vint du crâne lui-même. Les orifices béants du nez formaient comme des grottes ténébreuses. De là jaillirent des jets de liquide fumant. Le petit guerrier s'en prit une giclée. L'espace d'un instant, il devint tout rouge et se mit à clignoter de façon alarmante. Il perdait des points de vie.

— On se calme…

Le petit guerrier battit en retraite, décochant des flèches de droite et de gauche. Puis Jean-Hugues fit monter en première ligne le dragon Bubulle. Sa puissance de feu fit merveille. En quelques secondes, les fosses nasales furent nettoyées de leurs occupants invisibles et le guerrier se retrouva…

— Au pied du crâne !

Jean-Hugues se surprit à se tordre le cou comme pour apercevoir une cime inaccessible, loin au-dessus de son écran. Une sacrée partie d'escalade l'attendait. Jean-Hugues hésita puis tenta le W. Gagné ! La touche qui permettait de faire ramper le guerrier lui donnait également des talents pour la varappe. Il atteignit ainsi le bord de l'orbite droite et s'y accota.

— Et maintenant ? s'interrogea Jean-Hugues.

Dans une rafale de machine à écrire, le jeu lui répondit :

`Choisis ton arme, Caliméro !`

Étourdiment, Jean-Hugues enfonça une lettre au hasard. Ce Q faillit lui être fatal. Le petit guerrier effectua un saut périlleux sur l'étroit rebord où il se tenait. Jean-Hugues le vit battre des bras puis recouvrer l'équilibre par miracle.

`Cherche mieux, Caliméro !`

— Les chiffres ! s'exclama Jean-Hugues en se frappant le front du plat de la main.

Les chiffres donnaient accès aux armes. Le 1 et le 6, il les connaissait déjà. Il tenta le 4 et gagna une immense sarbacane.

— Bingo ! Et je fais quoi avec ce truc ?

Jean-Hugues enfonça la touche Entrée sans conviction. La sarbacane se dressa entre les mains du guerrier jusqu'à toucher la masse verdâtre. Au même moment, dans un angle de l'écran s'incrusta la frimousse de Natacha. Sous son menton s'étirait une série de pointillés ainsi présentée :

0 – 200

Jean-Hugues appuya de nouveau sur Entrée. Un répugnant bruit de succion se fit entendre. Se servant de la sarbacane comme d'une paille, le petit guerrier était en train de siroter la phénoménale cervelle.

— Beurk !

À chaque pression sur la touche, un des pointillés s'allumait et, faute de comprendre ce qui se passait, Jean-Hugues se mit à les compter.

— 5, 6…

Il sursauta :

— Je rêve ou quoi ?

Le visage de Natacha avait changé. Peut-être étaient-ce seulement ses yeux ?

— 7, 8…

Jean-Hugues éclata de rire. Cette fois, il avait compris. Les pointillés qui s'allumaient de la sorte :

0 – – – – – – – – – – – – – – – – – – – 200

représentaient l'intelligence qu'il pouvait octroyer à Natacha. Le fameux QI.

— 80 de QI, ma chérie. Pas foudroyant. Allez, 10 de mieux. Tu commences à ressembler à une 5e 6.

Le regard de Natacha s'illuminait peu à peu. Alors, grisé par son pouvoir, Jean-Hugues appuya et appuya encore.

0 – – – – – – – – – – – – – – – – – – – 200

— Aouah ! 180 !

Mais ce qu'il vit dans les prunelles de la golémette le fit frissonner de terreur. L'expression qui s'était formée sur son visage avait quelque chose de diabolique.

— Trop d'intelligence nuit ! Et de quoi je vais avoir l'air, moi ? Faut quand même que je puisse suivre sa conversation.

À quel niveau pouvait-il estimer son propre QI ? Modestement, Jean-Hugues s'accorda 140. À présent, que devait-il faire pour rabattre les prétentions de Natacha ? Sa première intuition fut la bonne. Il enfonça la touche ECHAP et il constata avec soulagement que la barre lumineuse lâchait des points de QI : 170, 160… *Chlurp !* Le rejet de la matière cérébrale produisait un bruit ignoble. À 150, le système se bloqua. Puis l'image se brouilla comme si une main mélangeait sur l'écran toutes les couleurs d'une peinture fraîche.

Une heure plus tard, Jean-Hugues en était encore à se demander s'il avait ou non entendu rire au moment où le jeu se plantait.

CHAPITRE XVI

DERRIÈRE LA PORTE 401

Une fois de plus, les parents de Samir s'étaient disputés. Une fois de plus, chacun avait déserté l'appartement, abandonnant Lulu à la garde de son grand frère. Ce qui tombait mal, encore plus mal que d'habitude.

Par chance, Lulu dormait. Devant la petite chose recroquevillée dans un lit trois fois trop grand pour elle, Samir sentit la haine renaître en lui en songeant à la façon dont ses cousins parlaient d'elle.

— Des trouillards, expliqua-t-il à l'enfant endormie. Ils montent des plans et après…

Après, c'était à Samir de s'y coller.

— Parce que leur planque, elle pue.

Par sa faute, il le savait bien. Cette idée pourrie qu'il avait eue de vouloir piéger Majid.

Maintenant, peut-être que les flics surveillaient les caves.

— Je t'ai laissé ton médicament sur le ventre du koala. Si tu te réveilles…

Lulu gémit dans son sommeil. « Et si je vais en prison ? songea Samir. Qui est-ce qui va y penser, à son médicament ? Peut-être qu'elle va mourir, si je vais en prison. » Samir éprouva une soudaine bouffée d'orgueil à l'idée que la survie de Lulu dépendait ainsi de lui. Il referma la porte doucement et descendit jusqu'au sous-sol.

Comme d'habitude, la minuterie était en panne. Mais Samir avait tout prévu. Une lampe énorme pour éclairer son chemin et une sangle pour accrocher le boîtier autour de son cou. Ainsi, il avait les mains libres.

Les caves des Colibris, c'était son territoire. Enfin, celui de sa tribu. Fêtes arrosées, rendez-vous mystérieux, planques. En dehors d'eux, plus personne n'osait y mettre les pieds.

Quand il la poussa, la grosse porte de bois émit un grincement à tirer du sommeil tous les habitants de la tour. Samir resta planté là, le cœur battant, et il compta jusqu'à dix. Puis il avança dans les sous-sols, précédé par un gros rayon lumineux.

— 311, 312…

Parler tout haut le rassurait. Les numéros étaient tracés à la peinture blanche. Des chiffres maladroits et baveux. La plupart des portes étaient fracassées. Derrière, il apercevait les détritus que les gens avaient stockés là. Cartons rongés par l'humidité, fenêtres aux vitres pulvérisées, tas de chiffons, bouteilles vides… Des milliers de bouteilles vides.

Le couloir faisait un coude et, après, il le savait, il y avait un fantôme.

— Salut, Prosper, ça boume ?

La bouche grande ouverte, le regard vide, le spectre tenait délicatement entre ses phalanges les plis de son suaire blanc. Aucune raison d'avoir peur. Depuis qu'un artiste facétieux avait barbouillé Prosper sur un mur de la cave, personne ne l'avait jamais vu bouger.

Mais non, voyons, personne.

« Alors, pourquoi justement moi ? » se révolta Samir en sentant une main lui caresser les cheveux.

Il se retourna brusquement. Immobile sur son mur, Prosper faisait l'innocent. Samir se peigna avec les doigts, dégoûté.

— Beurk, fit-il en ramenant dans la lumière de sa lampe des filaments grisâtres.

Les araignées étaient les amies des fantômes, c'était connu. Comme les rats. Comme... Non, il ne fallait pas penser à tout ça. Juste suivre le couloir et compter les portes. 401, avait dit Miloud.

Samir descendit quelques marches glissantes. Plus il s'enfonçait dans les sous-sols, plus la chaleur montait. Plus la chaleur montait, plus les parois luisaient d'humidité. Bizarre. S'il traînait trop longtemps, il allait finir par moisir.

— Qui c'est ?

Personne ne répondit. Samir se força à rire. C'étaient ses pas, ses propres pas... Jamais il n'était allé jusqu'à la 401. Jamais il n'était allé plus loin que l'énorme chaudière qui, toutes les trente secondes, poussait de sinistres soupirs.

Il passa devant deux portes de métal, blindées, cadenassées. Sans numéro. Soudain, il s'arrêta.

— C'est pas moi ! s'écria-t-il.

Il n'avait pas bougé. Ce bruit, ce ne pouvait être ses pas. Sans doute Prosper qui se dégourdissait les pattes. Ou la chaudière qui se raclait les tuyaux. Oui, sûrement la chaudière.

La 401. Elle était là. Une porte de planches vermoulues, à demi couchée sur le sol. Mais le numéro était bien visible.

Samir se tourna vers la cave et avança prudemment derrière la grande tranche de lumière qui partait de sa poitrine. Il passa devant des bouteilles, fichées sur de gros hérissons de fer forgé. Puis il s'empêtra dans un monceau de vieux draps, probablement des vêtements de rechange pour Prosper. Enfin, il contourna une colline de charbon.

Des débris de verre crissaient désagréablement sous ses semelles. Samir avait l'impression que les ténèbres se refermaient sur lui.

— Hé ! C'est pas le moment de flancher ! supplia-t-il en tapotant le boîtier de sa lampe.

Mais non. Elle éclairait toujours. Simplement, cette cave était immense.

Avant de relâcher Samir sur la départementale, Miloud et Rachid lui avaient donné des indications précises.

— Tu vas après le charbon, Samir. Là, tu verras, il y a un rat crevé. Ça éloigne les curieux. Tu enjambes les rouleaux de barbelés. Tu arrives au mur. Il y a une niche. Pas pour les chiens. Un trou, quoi. Tu enlèves les chiffons. Tu prends le carton. Et tu fais gaffe ! Une patate et demie, Samir !

Tout se déroula comme prévu. Presque. Il n'y avait plus de rat crevé. Samir aurait préféré qu'il y soit. Que tout soit exactement comme annoncé.

Le carton était lourd. Plat mais lourd. Restait à ressortir sans se faire pincer.

Samir vit tout de suite qu'il y aurait un problème. En tenant le carton entre ses bras, il masquait la lampe. La lumière qui s'échappait du boîtier lui faisait le ventre tout rouge mais n'éclairait guère les alentours. Il se prit les pieds dans les barbelés, s'égratigna douloureusement les chevilles et faillit s'étaler.

« Sur la tête, songea-t-il. Je vais le porter comme les femmes africaines. Si Mamadou me voyait ! » Il fit cinq pas ainsi mais le carton était trop lourd, trop large, trop instable.

Sous le bras, c'était impossible, à cause des dimensions. Alors, il le remit contre lui et recommença d'avancer, fouillant dans la pénombre de la pointe de sa chaussure. Les chiffons, les débris de verre.

Soudain, il vit beaucoup mieux. Sa lampe, pourtant, n'y était pour rien. Quelqu'un avait réussi à remettre la minuterie en marche ! Là-haut, on l'attendait. Il allait se faire choper.

Il repéra une ampoule. Elle n'émettait pas la plus petite lueur. Ça ne venait pas de là, ça venait de…

De ça.

Ce n'était pas un homme. Ce n'était pas une montagne. C'était un monstre. Samir se cramponna à son carton, comme si rien ne comptait plus au monde que de sauver son coûteux fardeau. La créature lui coupait le chemin, entre les hérissons coiffés de bouteilles et la porte 401. Elle allait le manger, il en était sûr, mais elle ne paraissait pas pressée.

Samir eut donc tout le temps de la contempler. Énorme et palpitante. Enfin, il le supposait… Car plus il la regardait, moins il savait à quoi elle ressemblait. La chose n'avait pas de formes précises. Ça tenait de Monsieur Propre et de Frankenstein. Plus blanc que Prosper. Plus lumineux que le boîtier Wonder. Sa tête, surtout, était terrifiante. Sans expression. Comme morte. À la fois avide et étrangement triste.

Samir ne voulait pas se laisser dévorer tout cru, pas sans s'être battu. Il n'y aurait eu que lui sur terre, il se serait abandonné à la terreur. Mais il y avait Lulu.

Le carton glissa entre ses mains et tomba sur son pied. La douleur fut vive mais il ne s'en soucia pas. Brusquement frappé par le rayon de la lampe électrique, le monstre avait réagi. Tout son corps se mit à jeter des étincelles bleutées, pareilles à celles que produisent les perches des auto-tamponneuses. Samir eut l'impression de savoir ce que lui promettait ce crépitement. Non, la créature n'allait pas l'avaler tout cru. Elle allait le frire d'abord.

Bientôt. Car maintenant, elle avançait.

Il se baissa, cherchant à tâtons autour de lui, sans quitter le monstre des yeux. Il lui fallait une arme, un projectile. Pouvait-on lui faire peur? Pouvait-on lui faire mal? À moins qu'il ne se nourrisse de métal ou de verre. Le charbon! Où était le tas de charbon? Samir s'en souvenait à présent, ces morceaux tout noirs et tout lisses, on appelait ça des boulets. Bombarder le monstre avec des boulets!

Sa main gauche trouva enfin quelque chose. Mais c'était mou et froid. Il aperçut du coin de l'œil ce qu'il avait attrapé. Le rat. Le rat crevé. Il poussa un hurlement d'horreur et balança la bestiole de toutes ses forces en direction de la créature. Il y eut un grand éclair. Le rat avait disparu, volatilisé.

— Maman!

Cette fois-ci, la terreur déferla en Samir. Plus rien ne pouvait l'endiguer. Fuir. Fuir. Il voulut se relever d'un bond. Mais on le tenait, on l'étranglait. Ses jambes dérapèrent sur le sol humide. Il s'affala dans la poussière, prisonnier, suffoquant. La sangle ! Elle était coincée quelque part et elle l'étranglait.

Samir tira, tira sur la sangle, mais le monstre était déjà sur lui, le baignant de sa clarté répugnante. Samir chercha une nouvelle fois à se dégager mais la courroie du boîtier entra profondément dans la chair de son cou. Il ne respirait plus. Il allait mourir.

Il ne voulait pas. Désespérément, il lança ses mains autour de lui. La sangle s'était accrochée là, dans les barbelés. Samir en sentait les pointes qui lui entraient dans les doigts, qui lui entaillaient les paumes. Allez, un coup sec. Un autre.

Il tomba à la renverse et s'assomma à demi contre une grosse bonbonne de verre. Il était libre. Mais il était trop tard. Voyant se pencher vers lui l'effarante créature blanche nimbée d'étincelles bleutées, Samir regretta de n'être pas mort, étranglé par la sangle.

À 23 h 30, le gardien des Colibris sortit Brutus pour la deuxième fois de la soirée. Il y avait des nuits comme ça où la bête s'agitait, nerveuse. Le gardien grilla une cigarette tandis que Brutus arrosait avec enthousiasme une borne de béton.

Sur le chemin du retour à la loge, l'homme constata avec surprise qu'un rai de lumière filtrait sous la porte qui menait aux caves. Quelqu'un ? La minuterie, pourtant, refusait de fonctionner depuis trois jours.

Brutus se mit à gronder, à montrer les dents. La bave lui coulait des babines.

Tout s'éteignit de nouveau, dans un bruit inquiétant, une petite explosion. Le gardien resta un moment à l'écoute puis décida de faire comme s'il n'avait rien remarqué. À 55 ans, il estimait avoir encore quelques belles années devant lui pour boire l'apéro et faire son loto. À quoi bon prendre des risques inutiles ? Pour de vieilles planches et des bouteilles cassées ?

Demain, il ferait jour et on verrait bien si les ampoules brillaient encore.

À 23 h 30, par un curieux hasard, Aïcha se sentit exactement dans les mêmes dispositions que Brutus. Une envie pressante la réveilla. Elle aurait voulu se retenir, se rendormir, se maîtriser jusqu'au lendemain. Mais rien à faire. À contre-cœur, elle se leva, jetant un bout de drap sur sa lampe de chevet allumée. Rassurée par cette lueur, elle traversa le couloir qui menait aux toilettes, près de l'entrée. Là, il faisait sombre. Sauf sous la porte qui ouvrait sur le palier. De l'autre côté, elle le devinait, régnait une angoissante clarté. La fumée électrique !

Elle courut jusqu'à son lit et se recoucha, les jambes serrées et le cœur battant. Le regard rivé sur la porte de sa chambre. *Plop !* L'ampoule sauta.

À 23 h 30, M. Badach venait de rentrer. Affalé dans son fauteuil, une assiette de viande froide sur les genoux, il regardait la télé. Il avait coupé le son pour ne pas troubler le sommeil des siens. Brusquement, les images se brouillèrent. Puis le programme disparut. Il ne restait qu'un écran couvert de neige sur lequel passait et repassait une ombre semblant venue d'ailleurs.

À 23 h 30, Jean-Hugues se trouvait devant son ordinateur. Exceptionnellement, il travaillait.

— Ouste ! J'ai du boulot ! lança-t-il au petit golem blanc.

Mais Joke était joueur. Il venait le chercher, comme un chien qui apporte sa balle.

— Pas ce soir. File !

Jean-Hugues fronça les sourcils. Joke, pour la première fois, s'était immobilisé au milieu de l'écran et, masquant le texte avec beaucoup de sans-gêne, il hochait la tête. Pour la première fois, dans cette forme désormais familière, Jean-Hugues venait de déceler comme une menace.

Pendant ce temps, au fin fond des sous-sols des Colibris, de l'autre côté de la porte 401, un enfant hurlait dans les ténèbres.

CHAPITRE XVII

DEUX BAUDETS PLUS UN

Les trois baudets n'étaient plus que deux. Ouvrant la porte de son appartement en ce milieu d'après-midi, Mme Badach les découvrit avec surprise sur son palier.

— Pardonnez-nous de vous déranger, dit le premier.

Il était grand et maigre, avec une figure en lame de couteau.

— Nous venons de la part des Trois Baudets, dit le second.

Malgré son jeune âge, il avait les cheveux blancs. Avec son teint blême et son nez aplati de boxeur, Mme Badach lui trouva un air à la fois maladif et inquiétant.

— Ah ! vous apportez la photo ? devina-t-elle.

Elle se souvenait que, en tant qu'heureuse gagnante, elle avait reçu le privilège de poser pour le prochain catalogue des Trois Baudets auprès du bel ordinateur.

Les deux hommes échangèrent un regard d'incompréhension.

— La photo ? Quelle photo ? demanda le grand maigre.

Ensemble, avec un sans-gêne qui choqua Mme Badach, ils s'introduisirent dans l'appartement. On entendait tant de choses à propos de ces voyous qui profitent que les femmes sont seules à la maison… Heureusement, Majid finissait à quatre heures, aujourd'hui. Il n'allait pas tarder.

Les intrus firent un effort d'amabilité. Mais on voyait bien que ce n'était pas naturel. Et Mme Badach n'aima pas du tout leur façon d'examiner son salon. On aurait dit qu'ils cherchaient ce qu'il y avait à voler.

— C'est à cause de l'ordinateur, dit le premier baudet.

— Il y a eu une erreur, fit le second.

— On est vraiment désolés.

— On en a apporté un autre.

— Il est là, sur le palier.

Une petite phrase, chacun à son tour, comme s'ils avaient appris leur texte par cœur.

— Un autre ? s'étonna Mme Badach. Encore un ordinateur ? Ci quoi cit' histoire ?

— Est-ce que vous n'avez pas eu des problèmes avec cet appareil ? s'enquit l'albinos.

Mme Badach resta un moment muette de stupeur. Comment ces gens-là pouvaient-ils être au courant ?

— Ça oui ! Mon fils, il travaille plus à l'icole.

— Des perturbations, précisa le deuxième baudet. Des incidents. Des pannes.

— Aaaah !

Cette fois, Mme Badach avait compris. Et elle leur raconta. La bouilloire qui fait des siennes. Les plombs qui sautent. Hier soir encore, son mari avait vu des choses bizarres sur la télé. Les deux hommes hochèrent la tête d'un air entendu.

— C'est bien ce que nous pensions, déclara le grand maigre. On vous a livré un appareil défectueux. Il ne faut plus vous en servir.

— Oh ! Ça risque pas ! Majid, il a été puni.

— On va vous l'échanger, dit l'albinos. Celui-là, il est dangereux. Une mauvaise série, ça arrive.

Mme Badach se sentit hésiter. Ces baudets ne lui inspiraient pas confiance. D'ailleurs, pourquoi n'étaient-ils que deux ? Normalement, ils auraient dû être trois. C'était vraiment trop dur d'être toujours toute seule à la maison, sans un homme auprès de soi.

Mme Badach avait raison. Il y avait bien un troisième baudet. À cet instant, il descendait de son 4×4 couleur kaki garé devant les Colibris.

L'affaire risquait de s'éterniser, jugea-t-il en allumant une cigarette. Les gens sont si méfiants, de nos jours. Il allait falloir les convaincre de rendre l'ordinateur. Ensuite, pour leur prouver qu'on n'essayait pas de les rouler, ses deux comparses devraient à coup sûr brancher le nouveau. Leur montrer qu'il fonctionnait. Qu'il était encore plus beau, plus rapide…

Bah… il avait bien fait de rester en bas. Pour passer le temps, il sortit son portable et essaya de joindre sa petite amie. La douce voix qu'il entendit était celle du répondeur. Alors, il chercha une autre distraction.

Le modèle qu'il tenait entre les mains n'était pas encore commercialisé. Un portable dernier cri, Nouvelle Génération MC. Avec ça, on pouvait se brancher sur l'Internet. Il manipula quelques touches et se connecta sur une fascinante partie de bataille navale en réseau qu'il avait interrompue à l'heure du déjeuner.

Là-haut, au douzième étage, Mme Badach entamait une autre bataille.

— Non, non, arrêtez ! s'écria-t-elle.

Mais les deux hommes avaient l'air déterminé. Ils avaient poussé leurs grands cartons dans le salon et commençaient à couper au cutter le ruban adhésif.

— Quand vous l'aurez vu, vous ne direz plus ça, certifia l'albinos.

Plus ils insistaient, plus Mme Badach trouvait leur empressement suspect. La vie lui en avait suffisamment appris pour savoir que personne ne vous suppliait jamais ainsi d'accepter une bonne affaire. Une petite phrase lui trottait dans la tête, qu'elle avait souvent entendue dans la bouche de ses enfants : donner c'est donner, reprendre c'est voler.

Alors, elle se jeta sur le plus gros des cartons, au risque de finir déchiquetée par la lame du cutter.

— Non, non, attendez Majid, supplia-t-elle, attendez Majid !

— Il sera ravi, votre fils, madame.

— C'est une fameuse surprise qu'on lui fait là.

Les deux hommes s'efforçaient de rester calmes et courtois. Mais les regards qu'ils échangeaient en disaient long sur leur agacement.

Mme Badach entendit donc avec soulagement le cliquetis de la clé dans la serrure.

— *Emmé, hayé…* Qui c'est, ceux-là ?

Emmé choisit la langue berbère pour mettre rapidement Majid au courant de la proposition des baudets. Ces derniers s'en montrèrent indisposés.

— Quand vous aurez fini vos messes basses, dit l'albinos.

— Enfin, une messe… drôle de latin ! dit le grand maigre.

Ils tentèrent de séparer le fils de la mère, afin de prendre celui-ci à part.

— Écoute, bonhomme… Majid… c'est comme ça que tu t'appelles, Majid ? commença l'homme aux cheveux blancs. Là-dedans, il y a le processeur le plus puissant du marché, un graveur…

— Tu vas pouvoir t'en faire, de l'argent de poche, avec un bon graveur, insinua son comparse.

— … vingt-cinq logiciels gratuits et une super-imprimante jet d'encre couleur.

Majid se sentit vaciller. Une imprimante, c'était juste ce qui lui manquait. Quant au graveur… il connaissait au collège des types qui se faisaient de l'or avec ce truc-là : copie en série de cédés à la mode et de jeux vidéo branchés.

Pourtant, sa méfiance était à la mesure de son envie.

— Bon, tu te décides, gamin ?

Et le ton sur lequel était prononcée cette phrase-là, il ne l'aima pas du tout.

Coulé ! Au bas de l'immeuble, baudet n° 3 venait de perdre un croiseur. Sa riposte était prête mais quelque chose était en train de perturber la partie.

Depuis deux minutes, une forme tentait de s'imposer sur le petit écran de son portable. Elle masquait le jeu, passait, repassait, disparaissait. Très vite, il constata que le brouillage de la réception dépendait de la façon dont il orientait l'antenne de l'appareil. Et bientôt, le phénomène le passionna bien davantage que la bataille navale. Il se rendit compte que la forme se précisait chaque fois qu'il pointait l'antenne vers l'entrée des Colibris.

Intéressant. Vraiment intéressant.

Un homme se tenait dans le hall de l'immeuble, une petite trousse à outils à la main. C'était le gardien des Colibris, qui venait de remettre des fusibles neufs pour éclairer les caves. Le baudet attendit que l'homme s'éloigne avec son chien.

Voilà, le chemin était libre… et, bon sang ! la chose sur l'écran du portable avait une tête, une tête familière. Mais comment cela se pouvait-il ?

Baudet n° 3 pénétra dans l'entrée de la tour des Colibris, tenant le portable devant lui comme une baguette de sourcier.

Soudain, l'appareil se mit à crépiter, à lancer des étincelles. L'ascenseur ? Non, par là, à gauche. Il y avait une porte. Ce devaient être les caves de l'immeuble. Baudet n° 3 hésita, se demandant s'il était bien raisonnable de poursuivre l'expérience. Mais rien à faire, il se sentait irrésistiblement attiré. La porte n'était pas fermée à clef. Il entra et il appuya sur le bouton de la minuterie. Les ampoules brillèrent intensément, palpitèrent, vacillèrent... puis tout disjoncta.

Dans la poche droite de sa veste, il y avait une lampe-torche mince comme un crayon. Les baudets sont toujours très bien équipés.

Et pour tout dire, il en existe beaucoup plus que trois.

Au douzième étage, Emmé s'était réfugiée dans un coin de la pièce, les mains croisées sur sa poitrine, et ne bougeait plus. Désemparée, elle regardait son fils lutter contre ces deux hommes qui, soudain, se comportaient de façon plus agressive.

— Touchez pas à ça ! hurlait Majid, tandis que l'albinos commençait de débrancher le moniteur posé sur la table de la salle à manger.

— Bon, maintenant ça suffit ! s'énerva le grand maigre. Puisqu'on te dit qu'il est dangereux, cet engin ! Tu veux faire sauter l'immeuble ?

Majid se cramponnait à l'unité centrale. Il pensait à ce qu'il y avait dedans, au jeu. On voulait l'empêcher de jouer à Golem, il en était sûr. Il fallait prévenir Caliméro. Lui seul…

L'albinos le souleva de terre et le reposa un peu plus loin.

— Écoute, mon petit gars. Jusqu'à présent, on a été très gentils. Mais si tu n'es pas capable de comprendre, tant pis pour toi. On rembarque le tout et on t'envoie une Game Boy, okay ?

— Emmé ! s'écria Majid. Appelle Cali… appelle Jean-Hugues. Le prof, Emmé, le prof !

Paralysée par ses émotions, Mme Badach n'esquissa pas un geste. Curieusement, c'est à ce moment précis que le téléphone sonna.

L'albinos lâcha Majid. Ce grelot, c'était celui de son portable. Excédé, il le sortit de sa poche.

— Oui ? Qu'est-ce que c'est ? répondit-il d'un ton de dogue. Sven ?

— Il n'avait qu'à monter, bougonna le grand maigre. Nous aussi, on trouve que ça dure…

Son comparse lui adressa des signaux de la main pour le faire taire.

— Où t'es ? Mais réponds ! Sven ? Sven ?

Le portable émit un craquement sinistre, audible dans toute la pièce. Puis plus rien.

— Sven ? Sven ?

Baudet n° 2 secoua le portable comme un hochet.

— Qu'est-ce qu'il fabrique ? demanda baudet n° 1.

L'albinos avait la peau si blanche qu'il ne pouvait guère blêmir davantage. Sa mine défaite n'en exprimait pas moins un étrange désarroi.

— Il se passe quelque chose, dit-il. Il faut aller voir.

— Où ça ?

L'homme au teint de craie haussa les épaules.

— J'aimerais bien le savoir.

Il jeta un regard furieux sur ce qui l'entourait. Majid s'était rapproché de son ordinateur. Les bras en croix, il montrait les dents comme un jeune chien.

— Allez ! décida le grand maigre.

Les deux hommes soulevèrent les cartons qu'ils avaient apportés et filèrent sans refermer la porte.

— Et ça ? demanda Emmé.

— Quoi ?

Mme Badach désignait le colis oublié dans l'entrée. Majid se pencha pour l'examiner.

— C'est l'imprimante! s'exclama-t-il. Ils ont oublié l'imprimante.

Les deux baudets sillonnèrent pendant plus d'une heure la cité des Quatre-Cents à bord du 4×4. Finalement, abasourdis, ils abandonnèrent les recherches.

Mais où était passé Sven?

CHAPITRE XVIII

UNE VISITE CHEZ LE BOUFFON

Les parents de Sébastien étaient à la séance de 20 heures du Majestic, devant un de ces films rasoir qui vous tirent des larmes. Pour Sébastien, un film sans portes grinçantes et sans giclées de sang, c'était de la pellicule gâchée. Il était bien mieux à la maison à réviser ses sciences en se projetant sur un écran imaginaire des scènes de dissection.

Le coup de sonnette le fit sursauter. Qui cela pouvait-il être à cette heure ? Trop tard pour les représentants en aspirateurs, trop tôt pour les morts vivants.

— Tiens, salut.

— Salut, répondit Samir.

Les deux garçons se dévisagèrent un instant, comme surpris tous les deux de se trouver face à face.

— Je peux entrer ? demanda Samir.

— Tu étais absent, aujourd'hui…

— J'avais pas la forme, dit Samir.

Il avança de deux pas, l'air intimidé. Dans la lumière de l'entrée, Sébastien découvrit l'ecchymose qui bleuissait sa tempe droite et les marques noires sur son cou. Puis il constata qu'une bande Velpeau emmaillotait tout son bras gauche, du coude au poignet. Samir avait aussi une belle collection de sparadraps sur les doigts.

— Ben dis donc, plaisanta Sébastien, tu joues dans *Le retour de la momie* ?

— Sébastien… faut que je te parle.

— Tu connais mon nom ?

Depuis deux ans qu'ils fréquentaient la même classe, Samir ne l'avait jamais appelé autrement que « l'autre bouffon ». Avec quelques variantes. Gros bouffon. Ou bien bouffon tout court. Bref, des variantes pas très variées.

— Viens dans ma chambre, proposa Sébastien. Mes parents sont sortis. Au Majestic, tu sais ?

— Les miens, ils sont au Fontenoy.

Sans doute Samir croyait-il que le Majestic aussi était un bistrot. Sébastien n'insista pas.

Samir était tombé en arrêt devant sa bibliothèque. Des mètres et des mètres de livres rangés soigneusement sur des étagères. Des noirs, des rouges, des dorés…

— T'as quand même pas lu tout ça ?

— Il y en a que j'ai lus au moins sept fois. *Le Secret des pyramides*, par exemple. Ou *Les sorciers sont parmi nous*.

— Ah bon ? Et à quoi ça te sert ?

Incapable de trouver une bonne réponse, Sébastien préféra changer de conversation.

— Qu'est-ce qui t'est arrivé ? Tu t'es fait agresser ?

— Si on veut.

Samir continuait d'examiner les livres, tordant son cou douloureux pour essayer de déchiffrer les titres.

— *La Vie après la mort*, ânonna-t-il. *Ces maisons qu'on dit hantées*.

— Tu cherches quelque chose ?

Samir posa un doigt sur *Spectres, fantômes et revenants* et le retira vivement, comme s'il s'était brûlé.

— Où ça vit, les fantômes ? demanda-t-il.

— Tout le monde sait ça, répondit Sébastien d'un ton condescendant.

Deux ans que ce mec le méprisait. Sébastien commençait à penser que l'heure de la revanche était peut-être proche. Pas question de la laisser passer.

— Mais où ? s'énerva Samir.

— Dans les châteaux, évidemment. Ou les manoirs. De très vieux endroits, avec des taches de sang sur le carrelage. Et tu peux toujours frotter !

— Pourquoi du sang ?

Samir se palpait le bras gauche, soudain mal à l'aise.

— Parce qu'il y a eu un meurtre, il y a très longtemps.

Se souvenant d'une phrase lue dans un ouvrage fort bien documenté, Sébastien cita :

— « N'oublions jamais que le fantôme est d'abord et avant tout une victime. »

Samir resta un instant perdu dans ses pensées.

— Mais t'y crois, toi, à tous ces délires ? demanda-t-il.

— Selon certains spécialistes de réputation mondiale… commença Sébastien.

— Ça va, laisse béton. Et aux Quatre-Cents ?

— Quoi, aux Quatre-Cents ?

— Y en a ? Y en a des fantômes ?

Sébastien éclata de rire.

— Peut-être dans mille ans, quand tu reviendras sur le lieu de tes crimes.

Samir ne sembla pas trouver la réplique amusante.

— Aux Colibris, murmura-t-il.

— Comment ?

Brusquement, Samir se mit à hurler :

— Je te dis qu'y a un fantôme aux Colibris !
Un monstre ! Un truc dément ! Il m'a presque…

Sébastien vit avec stupeur le visage de son
camarade se tordre d'angoisse. Et, plus incroyable
encore, des larmes roulaient sur ses joues. Samir
la grande gueule, Samir la forte tête se mit à san-
gloter comme un môme.

Embarrassé, Sébastien le fit asseoir sur le lit.

— Tu veux boire quelque chose ?

— Je suis foutu, gémit Samir.

— Mais non, voyons, le raisonna Sébastien.
Tu es en sécurité, ici.

— Je peux pas ! Je peux pas y retourner ! Il a
bu. Maintenant, il est encore plus fort.

— C'est pas toi qui as bu ?

Samir secoua la tête.

— Je l'ai vu.

— Qui a bu ? demanda Sébastien d'une voix
pleine de patience, comme s'il parlait à un grand
malade. Qui a bu quoi ?

— Le monstre. Il a bu la lumière. Le boîtier
Wonder.

Sébastien avait lu au moins trois cents livres
sur les phénomènes paranormaux, les aliens, les
créatures venues de l'au-delà. Jamais il ne ratait

une série z ou un feuilleton zarbi à la télé. Eh bien, c'était la première fois qu'il entendait parler d'un monstre qui buvait la lumière des boîtiers Wonder.

— Ils vont me massacrer, bredouilla Samir.

— Ah ? Parce qu'il y en a plusieurs ?

— Pas lui, pauvre bouf… Sébastien. Les cousins !

— Tes cousins sont des monstres ? supposa Sébastien.

Ce n'était pas une révélation. Dans la cité, cela correspondait même plutôt à l'opinion générale.

— Le matos. Il est resté là-bas.

Sébastien souffla un bon coup pour tenter de reprendre ses esprits.

— Je vais te chercher un Mondial Cola, proposa-t-il. Et après, tu vas tout me raconter depuis le début. Parce que là…

Samir fit donc dans le détail le récit de sa terrifiante descente aux enfers, en commençant par les menaces des cousins, la cave 401 puis l'apparition de l'autre, la lutte…

— Il était sur moi. J'ai cru qu'il allait me bouffer, m'électriser, me… me…

Samir avala une gorgée de Mondial Cola.

— Mais il a seulement avalé le boîtier Wonder.

Il s'interrompit. Le liquide faisait des vagues dans son verre, tenu d'une main tremblante.

— C'est pas lui qui t'a fait ça, alors ? conclut Sébastien en contemplant la collection de pansements et de bandages qui ornait son camarade.

— Je me suis accroché aux ferrailles, aux barbelés, toutes ces saloperies, dit Samir. J'ai couru. Je voyais plus rien. Je me cognais partout. Je sais pas comment j'ai réussi à sortir.

— Il se passe de drôles de trucs, en ce moment, déclara Sébastien. L'autre jour, Aïcha m'a raconté qu'il y a des fumées vivantes au douzième étage des Colibris.

Il resta songeur un moment puis ajouta :

— Peut-être un cimetière…

— Hein ?

— Oui, je vois que ça, s'enflamma Sébastien. Normalement, les phénomènes paranormaux ne se produisent jamais dans une tour moderne. Il faut trouver une explication. À mon avis, la tour a été construite sur un ancien cimetière. Ils essaient de sortir.

— Qui ?

— Les morts.

Samir accueillit la révélation avec stupeur.

— Tu crois que j'ai rencontré un mort ?

— Probablement une âme damnée, jugea Sébastien.

Le Cola fit un bond dans le verre de Samir.

— Et ils le disent, dans tes livres, que les âmes damnées bouffent les piles Wonder ?

— Jamais vu ça, admit Sébastien. Bon, en fait, je ne les ai pas tous lus.

— Faut que tu m'aides.

Sébastien sentit une fugitive bouffée d'orgueil lui gonfler la poitrine. Entendre Samir lui parler ainsi, sur ce ton suppliant, il n'en aurait même pas rêvé.

Mais pourquoi le sang lui battait-il maintenant aux tempes ? Une sourde impression lui montait du ventre. Quelque chose qui ressemblait à de la peur.

— Tu n'as pas l'intention de prévenir la police ? suggéra-t-il d'une voix chevrotante.

Sébastien savait bien que les flics ne gobent pas des histoires pareilles. Ces gens-là ne sont pas formés pour affronter le surnaturel. Voilà pourquoi tant d'affaires mystérieuses restent sans solution.

— Tu oublies le matos, lui rappela Samir.

Sébastien commençait à comprendre pourquoi Samir demeurait vert de trouille, même sain et sauf, en train de siroter un Cola.

Trois hypothèses, songea-t-il. Un, Samir retourne récupérer le matos et il se fait bouffer par le fantôme des Colibris. Deux, il ne récupère pas le matos et il se fait massacrer par ses cousins. Trois, il avoue tout aux flics.

Non. Pas trois hypothèses. Quatre.

— Qu'est-ce que tu crois ? s'écria Sébastien. Que je vais risquer ma peau à ta place pour récupérer ton carton ?

Il vit s'allumer une sinistre lueur d'espoir dans l'œil de son camarade.

— Tu t'y connais, toi, le flatta Samir. Tu as sûrement des trucs contre les âmes damnées.

— Des trucs ?

— Je sais pas, moi, des poudres magiques, des armes de sorcier, des trucs, quoi.

— Il faut que j'étudie la question, répondit prudemment Sébastien.

Samir changea de ton.

— Pourquoi que tu lis tous ces bouquins, sinon ? T'es vraiment qu'un bouffon ! Je l'ai toujours dit. Un bouffon.

— Je n'ai pas encore dit non.

En y réfléchissant, Sébastien était obligé de convenir que Samir n'avait pas tort. Pendant des années, dévorant tous ces livres, regardant tous ces films, il s'était en quelque sorte préparé. Maintenant, il se trouvait au pied du mur. Ce que Samir lui apportait sur un plateau, c'était l'affaire de sa vie. S'il la refusait, il n'était qu'un bouffon.

Un doute subsistait en lui. Et si tout cela n'était qu'une mauvaise blague ?

— Pas tout seul, hein ? lança-t-il. Si j'y vais, tu viens avec moi. Et tu passes devant.

CHAPITRE XIX

LEÇONS DE FRANÇAIS

Un seul être vous manque… et tout va beaucoup mieux, songea Jean-Hugues. C'était un vrai bonheur que de faire cours aux 5e 6 en l'absence de Samir. Il n'y avait plus qu'à surveiller Mamadou, confisquer la pâte à prout de Miguel et faire taire Farida.

En corrigeant ses copies, Jean-Hugues eut un autre sujet de satisfaction. Majid n'avait fait que onze fautes. Son meilleur résultat depuis le début de l'année.

La corvée achevée, Jean-Hugues s'installa devant son ordinateur. Le jeu se manifesta sans se faire prier. Petit coup de violons puis une voix caverneuse annonça :

— GOLEM !

Caliméro se précipita à la rencontre de sa bien-aimée.

— Tour de poitrine : 90. Quotient intellectuel : 150, prononça-t-il rêveusement. Eh bien, ma chérie, on l'a échappé belle. Imagine que ce soit le contraire !

Mais Natacha n'était pas achevée. Il fallait maintenant lui conférer pouvoirs et qualités. Et quelques défauts pour pimenter.

Jean-Hugues venait d'octroyer à Natacha un don d'irrésistible séduction quand le téléphone sonna dans le salon.

— J'ai combien ? demanda la voix.

— Majid ?

— Combien tu m'as mis à la dictée ? dit Majid d'un ton pressant. Faudrait que j'aie la moyenne.

— Onze fautes, lui annonça Jean-Hugues. Il faudrait que je te les compte moins d'un point pièce.

— Mais tu mets des mots qu'existent pas ! se révolta Majid. S'il te plaît. Ma mère m'a promis.

— Quoi donc ?

— L'ordinateur. Si j'ai un 10.

— Cette femme est trop faible.

— J'aurai le droit de m'en servir seulement pour travailler, précisa Majid.

Jean-Hugues sourit. Il mettrait 12.

— Tu sais pas ? dit soudain Majid. J'ai une imprimante !

— D'où tu sors ça ? s'alarma Jean-Hugues.

— Mais non, je te jure ! Je l'ai pas…

Majid n'acheva pas. Non, il ne l'avait pas volée… mais enfin. S'il disait simplement qu'on l'avait « oubliée » chez lui, Jean-Hugues ne le croirait jamais.

— Les baudets sont revenus, dit Majid.

Le récit de la visite des trois baudets qui n'étaient que deux impressionna beaucoup Jean-Hugues. Il avait du mal à admettre que ces gens-là agissaient sur ordre du célèbre magasin de vente par correspondance. Mais alors, à qui obéissaient-ils et que voulaient-ils ? Uniquement l'ordinateur de Majid parce qu'il était défectueux ? Inévitablement, la conversation téléphonique revint sur Golem.

— Tu y as rejoué ? devina Majid.

— Un peu, bredouilla Jean-Hugues.

— Tu en es où ?

Alors, pour la première fois, Jean-Hugues se lança dans la description de sa golémette. Fort imprudemment, il s'attarda sur les charmes de Natacha. Majid le fit redescendre sur terre :

— T'es amoureux ou quoi ?

— Ce… n'est qu'un jeu, fit Caliméro, décontenancé.

— Ouais, mais tu aimerais bien la connaître pour de vrai ?

Un rire embarrassé lui répondit.

— Et tu lui as donné quoi comme pouvoirs ? s'informa Majid.

— Je commence tout juste. J'ai pensé à… hum… la séduction.

— Mais c'est pas un pouvoir, ça ! protesta Majid. Moi, je vais me faire un vrai héros ! Et il sera tellement surpuissant que Natacha va tomber amoureuse de lui et tant pire pour toi…

— Impossible, coupa Jean-Hugues. Je vais donner à Natacha un don de discernement.

— C'est quoi, ça ? se méfia Majid.

— C'est le bon goût. Natacha n'aime que les hommes jeunes, élégants et professeurs de français.

Un éclat de rire salua la fin de sa déclaration.

— Allez, bonne nuit, Magic !

— Eh non, non, attends ! Mon clavier… Tu m'avais promis un clavier ?

Jean-Hugues renouvela sa promesse et raccrocha. Puis il s'efforça de se comporter en adulte et de chasser de son esprit Joke et Natacha. Restaient malgré tout les trois baudets qui n'étaient que deux. Et ça, ça n'était plus du jeu.

D'ailleurs, jouer, il n'en était toujours pas question chez les Badach. Majid brancha son nouveau clavier, obtenu le matin même, après le cours de français. Il fit démarrer son ordinateur puis se retourna. Emmé était dans son dos, paisible et les bras croisés.

— Tu vas quand même pas rester là ?

Imperturbable, Emmé hocha la tête.

— Travaille, Majid. L'ordinateur, ci pour l'icole.

Majid avait cru connaître un moment de pur bonheur en poussant le bouton de son ordinateur. Mais l'obstination de sa mère lui gâchait tout son plaisir.

— Pas tout le temps ? gémit-il.

— Ji ti connais, Majid.

Emmé ne lui faisait pas confiance. Elle avait décidé de regarder par-dessus son épaule tant que l'appareil demeurerait allumé. Pas question de s'égarer du côté de Golem City.

Il tapa sur son clavier tout neuf un chapelet de mots grossiers.

— Tu peux pas vérifier, de toute façon. Tu sais pas lire.

Emmé posa timidement un doigt sur l'écran.

— Vas-y. Dis-moi.

— Euh... non, fit Majid en s'empressant d'effacer ce qu'il venait d'écrire. Tiens, regarde. EMMÉ, composa-t-il.

— Ci mon nom, dit-elle, vexée. Ji connais quand même !

Alors, Majid écrivit MAJID. Puis il tapa les noms des six autres enfants de Mᵐᵉ Badach : ABDELKARIM, MONIR, OMAR, HAZIZ, MOUSSA, BRAHIM.

— Ji sais, ji sais… c'est mes enfants… Montre-moi des autres choses.

— D'abord, la reprit Majid, on dit pas « ji sais ». On dit « je sais ». Là !

Et il inscrivit JE.

— Je, je, répéta-t-il.

Ensuite, au fil de son inspiration, il lui montra COLIBRIS, AÏCHA, COUSCOUS, CALIMÉRO, BONJOUR, MERCI, DICTÉE…

Finalement, il tapa EMMÉ, JE T'AIME, et sa mère se mit à pleurer.

Au collège, les leçons se suivaient et se ressemblaient. Miguel malaxait sa pâte à prout et Mamadou faisait des haltères avec ses manuels. Tout était dans l'ordre, à un détail près : au premier rang, la place de Sébastien était vide.

— Assis ! Assis ! répétait inlassablement Jean-Hugues.

— Assis ! hurla Mamadou.

Il y eut un énorme vacarme de postérieurs s'affalant sur les chaises.

— Merci, Mamadou. Où en étions-nous ?

— Œuvres complètes, volume 9, annonça Nouria.

— Zeinul, vous vous êtes porté volontaire pour nous lire ce passage ? Page 27.

Il y eut un remue-ménage de papiers sur le bureau de Zeinul.

— J'y suis, m'sieur. Alors, j'y vais ? Sérieux ?

Zeinul se racla la gorge et se mit à lire :

— Aïaouu ! Rogntudjuu ! Pett ! Marrraaoww !

— Parfait, approuva le prof. Notre cours d'aujourd'hui va donc porter sur ces petits mots qu'on appelle des onomatopées.

Mais l'absence de Sébastien le perturbait. Sans lui, il se sentait déstabilisé. La mine sérieuse du garçon, là, sous son nez, au premier rang, c'était un encoura… Soudain, il le vit. Mais terré dans le fond de la classe, auprès de Samir. D'où sortait-il encore, celui-là, qui réapparaissait après deux jours d'absence, couvert de bosses et de pansements ?

Samir et Sébastien. « Un duo inédit », songea Jean-Hugues, tandis que ses 5e 6 participaient avec un entrain inhabituel à la leçon du jour.

— Marrrâow !

— Wouaaah !

— Wouffh !

Jean-Hugues quitta son bureau, passa devant Majid qui griffonnait des golems et prit à revers Samir et Sébastien.

— On peut savoir ce que vous faites ? leur demanda-t-il.

Les deux garçons regardaient sous la table le contenu d'un sac plastique Mondiorama. Qu'y avait-il là-dedans ? Des cédés piratés ? Jean-Hugues leur arracha le sac d'un geste autoritaire et y plongea le nez.

— Qu'est-ce que c'est que…

Stupéfait, Jean-Hugues sortit une tresse d'ail.

— Un problème d'assaisonnement à la cantine ? questionna le prof.

— C'est pour le gigot de ce soir, à la maison, répondit Sébastien.

La pitrerie était tellement déplacée dans la bouche de Sébastien qu'elle ne fit même pas rire la classe.

— Très bien ! dit Jean-Hugues. Puisque vous me jouez la comédie, nous allons faire du théâtre. Samir, vous serez Gaston. Avec vos bandelettes, on dirait Lagaffe après une expérience. Sébastien, vous interpréterez M. de Mesmaeker. Zeinul, je compte sur vous pour les onomatopées.

— Et moi, m'sieur ?

— Et moi, m'sieur ?

— D'accord, se résigna Jean-Hugues, tout le monde fait les onomatopées.

Il n'y eut qu'un cri : « Aouah ! » La meilleure des onomatopées, c'était encore celle-là.

À la récré, il y eut une dernière mise au point.

— Tu es okay pour demain soir ? demanda Samir.

— Je… je crois, balbutia Sébastien.

— Ça peut plus attendre. Les cousins s'excitent.

Les deux garçons restèrent pensifs un instant.

— J'espère que c'est pas un loup-garou, dit finalement Sébastien.

— Et alors ? demanda Samir. Au cas où ?

— On serait mal. L'ail, c'est que pour les vampires. Et je peux quand même pas piquer les bijoux de ma mère.

Samir regarda son camarade sans comprendre.

— Les loups-garous, on les tue avec des balles en argent, expliqua Sébastien.

— Elle a de drôles de bijoux, ta mère.

— Tu les fais fondre, crétin. Et tu fabriques des balles avec.

Samir se sentit soudain déprimé. Avec un partenaire pareil, les cousins n'étaient pas près de récupérer le matos. Par bonheur, la chose qui hantait les caves des Colibris n'avait pas l'air d'un loup-garou. Mais vraiment pas.

CHAPITRE XX

RETOUR AUX CAVES

Depuis quelques jours, le gardien des Colibris n'éprouvait plus aucun plaisir à sortir son chien Brutus après la tombée de la nuit. Une sorte de malédiction semblait planer sur la tour. Pannes électriques à répétition, bruits insolites… On aurait dit que des mauvais plaisants s'acharnaient à lui faire peur.

S'il avait été courageux, il se serait planqué quelque part, là, par exemple, derrière les grandes poubelles vertes, et aurait guetté… Il était sûr qu'il se passait des choses pas très catholiques, le soir, dans les caves.

Mais observer Brutus suffisait à lui en ôter l'envie. Une bête comme ça, qui aurait pu bouffer un lion… la voir le poil hérissé et l'œil inquiet ! Et cette façon de gronder !

Le gardien écourta la promenade, filant vers sa loge dès que Brutus eut arrosé sa borne préférée.

— Ça y est, souffla Sébastien, il rentre.

Samir était accroupi près de lui, tout entier dissimulé par le pneu énorme d'un camion de livraisons.

Sébastien leva les yeux au ciel. Il faisait horriblement clair. Une grosse lune rougeâtre flottait juste au-dessus de la tour des Colibris.

— J'aime pas ça, dit-il.

— Quoi ? Qu'est-ce qu'y a ?

— Pleine lune, annonça Sébastien d'une voix sinistre. J'espère vraiment que c'est pas un loup-garou.

Dans son sac de sport bleu, il avait réuni tout ce qu'il fallait pour affronter la créature souterraine. Mais bien sûr, il manquait les balles en argent, indispensables pour tuer un loup-garou.

Plus de gardien. Plus de Brutus. Tout était calme dans la cité. Au moment de pénétrer dans la tour, Sébastien jeta un dernier regard en direction de la lune, se demandant s'il aurait l'occasion de la revoir.

— Gaffe à ta lampe, lui rappela Samir en poussant le bouton de sa torche électrique.

Ils en avaient une chacun et s'étaient mis d'accord sur la stratégie à suivre. Si la chose se montrait, masquer immédiatement les lumières. D'après Samir, elle était attirée par tout ce qui brillait, comme les papillons. Il en avait conclu que le monstre, peut-être, était incapable de voir dans l'obscurité. Mais rien n'était moins certain.

Ils descendirent quelques marches et s'engagèrent dans le premier couloir. Ils avançaient lentement, côte à côte, fouillant de leurs rayons lumineux les caves vides, derrière les portes fracturées.

Sébastien pensait à ses livres. Y aurait-il quelqu'un pour en prendre soin, si jamais il ne revenait pas ?

Samir, lui, songeait à Lulu. Une fois de plus, il avait laissé la gamine seule dans l'appartement. Cela l'ennuyait. Elle était bizarre, en ce moment, Lulu. Agitée, excitée. En meilleure forme que d'habitude, d'une certaine façon. Mais surtout bizarre. Elle disait qu'elle avait envie de se lever, elle que ses jambes toutes maigres ne pouvaient pas porter.

— Samir ? appela Lulu.

Personne ne répondit. Une nouvelle fois, tout le monde l'avait abandonnée. Ses parents sortaient presque tous les soirs, sans prévenir, et rentraient tard, bruyamment. Mais d'habitude, Samir ne la laissait jamais sans lui faire au moins un petit signe.

Elle n'avait pas dormi, elle en était sûre. Lulu dormait beaucoup moins depuis quelques jours. Et même, elle débordait d'énergie. Elle aurait voulu se lever, marcher, courir, danser.

En fait, elle avait essayé. La veille, elle avait réussi à descendre de son lit, à faire trois pas. Puis elle était tombée. Mais elle n'avait pas crié, ni pleuré.

Il lui avait fallu au moins trois heures pour parvenir à remonter sur son matelas. Personne ne s'était aperçu de rien.

Lulu avait encore mal aux coudes, aux genoux, aux mains. Peu lui importait. L'envie de recommencer la dévorait. Se lever, marcher, comme tous les autres enfants. Courir. Danser. Et quoi encore ? Que faisaient-ils ? Sauter à la corde. Jouer à la marelle.

Elle était convaincue de pouvoir y arriver. Peut-être était-elle en train de guérir ? En tout cas, depuis quelques jours, quelque chose avait changé. Ce n'étaient pas ses médicaments. Alors, c'était quoi ?

Lulu déplaça ses jambes sur les couvertures et les balança dans ce qui lui parut un vide immense. Le sol était tellement bas, tellement loin.

Mais il y avait en elle cette chose nouvelle.

La force.

— Je veux marcher, gémit-elle. Je veux, je veux.

Elle posa les mains au bord du matelas, se propulsa. Sauta. C'était un vide immense. Très loin. Très bas.

Avec un bel ensemble, Sébastien et Samir braquèrent leurs torches sur la silhouette blafarde de Prosper le fantôme.

— Me dis pas que c'est ça ! s'exclama Sébastien.

— Chut !

Prosper n'avait jamais fait de mal à personne. Et Samir savait qu'il n'avait pas fui devant un spectre de peinture blanche. S'il avait eu un doute, il lui aurait suffi de regarder par terre. Il avait laissé dans les couloirs souterrains une piste de sang.

Sébastien posa son sac par terre.

— Qu'est-ce que c'est ?

— Quoi ? Oh ça… La chaudière.

— C'est encore loin ? s'inquiéta Sébastien.

Samir lui adressa un geste vague du menton.

— 401, dit-il.

Sébastien ne semblait plus très pressé de poursuivre l'exploration. Il s'accroupit, posa sa lampe, tira la fermeture Éclair de son sac de sport.

— Tiens ! souffla-t-il en tendant à Samir la tresse d'ail.

Samir la saisit en silence et l'accrocha par sa boucle à un bouton de sa veste.

— Toi, tu portes l'ail, dit Sébastien. Moi, je prends le pieu.

Le morceau de bois taillé en pointe faisait toute la longueur du sac. Sébastien se sentait parfaitement armé pour la chasse au vampire. Malheureusement, la description de Samir ne laissait présager rien de tel. La créature appartenait plus probablement à la catégorie fantôme ou mort vivant. Et là, la partie s'annonçait beaucoup plus difficile.

Sébastien poussa son camarade devant lui de la pointe du bâton. Jusqu'à présent, tout allait bien. Ils dépassèrent la chaudière et pénétrèrent dans le dernier couloir, celui qui menait à la porte 401.

Samir, qui marchait devant, progressait maintenant à tout petits pas. Sans cesse, il jetait un coup d'œil par-dessus son épaule, comme s'il craignait que Sébastien ne file en douce. Le rayon lumineux, qu'il tenait baissé vers le sol, tremblait au même rythme que sa main secouée par la peur.

Soudain, il leva sa torche et poussa une exclamation d'horreur.

— Là ! Y a quelqu'un !

Les deux garçons s'immobilisèrent, braquant leurs lampes sur le corps affalé contre la paroi du souterrain.

— Tu crois qu'il est… bredouilla Sébastien.

— Ça en a l'air.

— On se barre ?

Samir décida d'approcher. Il éclaira le visage inerte de l'homme, sa peau noircie par endroits, ses vêtements en lambeaux qui semblaient adhérer à la chair. Un grand frisson le secoua du haut en bas.

— On se barre ? répéta Sébastien.

Mais la porte fracassée de la cave 401 était toute proche.

— On y est presque, s'encouragea Samir.

Quelque chose attira son regard. Un objet, sur le sol, près de la main ouverte de l'inconnu. Un portefeuille ? Samir se baissa et le glissa dans sa poche sans l'avoir examiné. Dur, avec une antenne. Il savait ce que c'était. Un téléphone portable. Il était allumé. L'homme avait peut-être cherché à appeler du secours.

— Qu'est-ce que tu fais ? demanda Sébastien.

« Et moi, s'interrogea-t-il, qu'est-ce que je fais là ? »

Les pensées se bousculaient dans sa cervelle. Samir l'avait attiré dans un piège. Samir avait tué quelqu'un. Samir voulait lui mettre le crime sur le dos.

« Il faut que je me tire d'ici. Vite. »

Mais Samir l'attrapa par la manche. En voyant le visage décomposé de son camarade, Sébastien comprit que la menace fantôme existait, elle aussi.

Ils se retrouvèrent tous deux devant la porte à demi couchée de la cave 401. D'un même réflexe, ils collèrent leurs torches électriques contre leur propre corps, pour ne donner qu'un minimum de lumière.

— Il est là, murmura Samir.

— Qui ?

— Le carton.

Dans le carton, il y avait pour une « patate et demie de matos », avaient dit les cousins. En plissant les yeux, Sébastien l'aperçut dans la pénombre. Peut-être à sept ou huit mètres. Le ramasser. Prendre la fuite. Ça semblait si facile. Mais il ne put s'empêcher de se retourner. Il aurait juré que le cadavre avait bougé. Samir posa sa lampe.

— J'y vais. Éclaire-moi. Un tout petit peu.

Et vraiment, ce fut très facile.

Samir avança dans les ténèbres moites de la cave. Derrière lui, Sébastien abandonna son pieu aiguisé pour l'accompagner d'un rayon lumineux qu'il filtrait entre ses doigts.

Samir s'accroupit. Il s'empara du grand carton plat. Il se releva.

Mais déjà, il était trop tard.

Le monstre était là, qui l'attendait dans l'ombre.

Samir lâcha le carton.

Ce n'était pas possible. Pourquoi ne l'avait-il pas vu ?

Il le savait : parce que la créature avait changé. Elle ne brillait presque plus. Jusqu'à l'ultime moment, elle était restée noyée dans l'obscurité. Et maintenant, elle se dressait devant lui, blême, imprécise, sans expression. Pareille à un bonhomme de neige à demi fondu.

L'ail.

Samir tira sur la tresse, arrachant un bouton de sa veste. Il la jeta sur la chose qui s'agitait dans l'ombre.

Non, ce n'était pas un vampire.

— Écarte-toi !

La voix de Sébastien lui parut surgir du fond d'un long tunnel. Samir recula, se tordit la cheville, s'affala douloureusement contre le tas de boulets de charbon. Il vit passer le pieu sous son nez.

Sébastien l'avait lancé de toutes ses forces.

Mais le monstre des Colibris ne craignait ni l'ail ni les pieux.

Pourtant, l'attaque l'avait troublé. Il émit une gerbe d'étincelles bleutées et se tourna vers l'entrée de la cave, où se tenait Sébastien.

Samir profita de ce bref répit pour ramper hors de portée. Sébastien crut qu'il allait pouvoir s'échapper, qu'ils s'en sortiraient tous les deux. Avec stupeur, il constata que son camarade ne voulait pas renoncer à son précieux carton. Samir hésitait, attendant le moment de se ruer sur le volumineux objet.

Alors, Sébastien posa sa lampe à l'envers sur le sol, pour étouffer la lumière, et plongea les deux mains dans le sac de sport grand ouvert. Il attrapa tout ce qu'il y avait entassé. Trois cailloux, qu'il balança en vain sur la créature. Puis…

Puis il vit, horrifié, la torche basculer et rouler par terre. Le rayon frappa le monstre qui parut y puiser une énergie soudaine.

De sa main droite, Sébastien brandit une vieille édition de la Bible au papier jauni. Dans sa main gauche, il y avait un crucifix de métal doré.

Rien. Rien. Le monstre ne croyait ni à Dieu ni à diable.

Vampire, spectre, loup-garou ou mort vivant… il allait l'étreindre entre ses bras palpitants. Sébastien fouilla une dernière fois dans son sac.

Rien. Plus rien.

Si. Dans un coin, il sentit quelque chose au bout de ses doigts. Un jouet. Un petit revolver de plastique transparent. Ce matin même, Sébastien était allé à l'église Sainte-Geneviève et l'avait rempli en cachette d'eau bénite.

— Nooon ! hurla-t-il en voyant s'approcher le monstre.

Et il pressa la crosse. Toute molle. Ridicule.

Le petit jet d'eau bénite fila dans l'obscurité. Toucha l'abominable créature.

Samir et Sébastien eurent l'impression que tout disjonctait. Mais c'était dans leur tête. Comme s'ils avaient enfoncé deux doigts dans une prise de courant.

Elle l'avait fait ! Lulu avait réussi à faire descendre ses pieds jusqu'au sol et ses jambes l'avaient portée.

Lulu était restée immobile une longue minute, agrippée à la boule de laiton qui ornait le montant de son lit. Finalement, elle l'avait lâchée. Et elle avait marché. Un pas, deux pas, trois pas. Jusqu'à la fenêtre.

L'esplanade s'étendait devant ses yeux. Longtemps, très longtemps, Lulu avait observé les tours endormies, les balcons chargés de linge, les voitures garées dans les allées. Et surtout, elle avait contemplé la grosse lune rousse qui flottait dans le ciel.

Sa main était devenue blanche à force de serrer la poignée de la fenêtre. Mais elle tenait bon.

Rien ne pourrait jamais plus l'empêcher de marcher. Peut-être, demain, irait-elle jusqu'à la cuisine ?

La foudre s'abattit brusquement sur elle. Un grand éclair illumina les vitres et l'ébranla de la tête aux pieds. Lulu lâcha prise.

Quand elle reprit conscience, étendue sur le plancher froid, son cœur battait à tout rompre. Et elle avait le corps en feu.

— Samir ! appela-t-elle. Samir !

Samir était en danger. Elle le savait.

Le choc avait été terrible. Assis par terre, l'un face à l'autre, les deux garçons se regardaient, éberlués.

Du monstre, plus la moindre trace.

— L'eau bénite, murmura Sébastien.

Samir, qui ignorait de quoi il s'agissait, se jura que dorénavant il en aurait toujours un flacon dans sa poche. Le premier, il recouvra ses esprits.

— Vite ! cria-t-il.

Il se releva et faillit prendre la fuite en oubliant…

— Le carton !

Il alla le ramasser, scrutant avec inquiétude les ténèbres de la cave. Mais plus rien ne bougeait.

Samir et Sébastien sortirent enfin de la 401. Ils passèrent sans un mot devant le corps affalé contre le mur. Leurs jambes flageolantes les conduisirent jusqu'à la chaudière, jusqu'à Prosper, jusqu'aux dernières marches.

La nuit était merveilleusement douce. Sébastien leva les yeux avec reconnaissance en direction de la lune. Il aurait voulu la serrer dans ses bras, l'embrasser.

— Et lui ? demanda-t-il.

— Qui ?

— Le type, insista Sébastien. Qu'est-ce qu'on fait ?

Samir haussa les épaules.

— Ben… rien.

— Il ne faut pas prévenir la police ?

Samir sentit la présence dans sa poche du petit objet qu'il avait ramassé en douce.

— T'es ouf ! protesta-t-il. Tu veux qu'on t'accuse de l'avoir dégommé ?

— Je me demande bien de quoi il est mort, dit Sébastien en frissonnant.

— À mon avis, dit Samir, il avait pas d'eau bénite.

— Il va se faire bouffer par les rats. On peut pas le laisser là !

— Moi, décréta Samir, je l'ai jamais vu.

— Je m'en occupe.

Sébastien ne ferma pas l'œil de la nuit. À chaque fois que ses paupières se baissaient, il voyait apparaître une forme blanche gorgée d'énergie électrique.

Tôt le lendemain matin, il marcha jusqu'à une cabine téléphonique. Un mouchoir sur la bouche, imitant la voix de Titi le canari, il demanda à parler à la police. À la voix ensommeillée qui lui répondit, il déclara :

— Il y a un cadavre dans les caves des Colibris. Le cadavre d'un homme mort.

Puis il raccrocha et éclata d'un rire nerveux, tellement ce qu'il venait de proférer était stupide. Ensuite, il se rendit au collège. Et, pour la première fois de sa vie, il rata complètement son contrôle de géographie.

CHAPITRE XXI

GOLEM ET PÂTE À PROUT

Jean-Hugues entra dans la cuisine et se mit à vider le panier que sa mère avait posé sur la table. Mondial Cola, Pizza Mondialissimo, céréales Mondior. Pas de doute, Mme de Molenne était passée à Mondiorama. Au fond du panier, Jean-Hugues découvrit aussi tout un lot d'une denrée moins comestible. Quelque chose qu'il connaissait pour en avoir confisqué dix fois au petit Miguel. De la pâte à prout Mondialo.

Jean-Hugues se dirigea vers le salon pour poser deux ou trois questions à sa mère. Mais Mme de Molenne ne semblait pas d'humeur à lui répondre.

— J'ai passé l'après-midi à me battre contre ton ordinateur ! s'écria-t-elle. Un vrai supplice.

— Tu n'as jamais su t'en servir, remarqua Jean-Hugues.

Sa mère était plutôt une adepte de l'écriture à la main. Mais quand elle devait livrer un article à une revue, il lui fallait bien recourir aux services de l'informatique. Mme de Molenne collaborait à *Psychologie, les clefs de l'esprit* où elle traitait de sujets aussi passionnants que « L'art de la conversation dans les ascenseurs » ou « Faut-il abattre les tours de nos cités ? ».

— Le golem ! Le golem ! gémit-elle. J'en ai jusque-là du golem !

Jean-Hugues en resta un instant muet de stupeur.

— Tu joues à ça ? s'étonna-t-il finalement.

— Bien sûr que non ! Tu m'imagines, moi, à mon âge ?

Mme de Molenne fit peser sur son fils un regard qui signifiait : « Et toi, mon pauvre garçon ! »

— Je voulais taper mon article tranquillement. Mais rien à faire. Impossible de se concentrer avec cette espèce de fantôme qui se promène sur ton écran. C'est horrible ! On a l'impression qu'il vient vous chercher.

Jean-Hugues se mit à rire.

— Oui, par moments, Joke est un peu collant.

— Joke ? répéta Mme de Molenne. Tu l'appelles comme ça ? Et tu ne peux pas t'en débarrasser ?

Jean-Hugues secoua la tête, fataliste.

— Eh bien, non… C'est un genre de virus.

— La pizza ! s'exclama sa mère en se levant précipitamment. Je ne l'ai pas mise au congélateur.

Jean-Hugues la rejoignit dans la cuisine. Là, il se souvint de ce qu'il avait découvert en rangeant les commissions.

— Qu'est-ce que c'est que cette lubie ? demanda-t-il en désignant les petits pots de pâte à prout Mondialo.

— Ça ? Euh… je ne sais pas, c'était en promotion, bredouilla Mme de Molenne. J'ai pensé… que ça t'amuserait.

Jean-Hugues se mit en quête d'une réplique cinglante. Il était d'autant plus vexé que, sans vraiment se l'avouer, il avait gardé trois pots de pâte à prout pour lui.

— Tu n'as pas l'intention de traiter le sujet pour *Psychologie* ? ironisa-t-il.

Mais cela ne démonta pas sa psychologue de mère.

— Tiens ! C'est une idée ! s'exclama-t-elle. Je crois même que j'ai déjà le titre : « Golem et pâte à prout : ces enfants qui ne veulent pas grandir. »

— Je vais mettre le couvert, grommela Jean-Hugues.

Samir dévissa le tube et fit jaillir un peu de crème blanche dans le creux de sa main.

— Je suis allé à la pharmacie, dit-il à Lulu. Ils m'ont conseillé ça.

La gamine portait d'étranges traces de brûlures sur les bras et sur le ventre. Elle était comme ça depuis qu'il était rentré, après son expédition mouvementée dans les caves en compagnie de Sébastien. Il avait trouvé Lulu au pied de son lit, en plein délire.

Il étala le baume.

— Ça va mieux, affirma Samir. C'est moins rouge.

Lulu secoua sa petite tête sur l'oreiller.

— Non, se plaignit-elle, ça va pas mieux.

— Mais si.

— Non. Elle est partie.

— Qui ça ? demanda Samir.

— La Force, dit Lulu.

Samir haussa les épaules.

— T'en as jamais eu, de la force. Faut t'y faire.

— Non, corrigea Lulu. Pas de la force. La Force.

— Tu te crois dans *Star Wars* ?

— Tu comprends rien, trancha Lulu.

— Tu ferais mieux de dormir, décida Samir.

Lulu ferma docilement les yeux. Mais elle ajouta :

— Quand elle est là, je peux marcher.

— D'accord, répondit Samir.

Il s'éloigna doucement et referma la porte de la chambre. Lulu n'était pas son seul souci.

Les flics avaient débarqué aux Colibris ce matin-là et ils avaient trouvé le corps. En principe, Samir n'avait rien à craindre. Leur virée nocturne n'avait pas eu de témoins. Mais Sébastien saurait-il tenir sa langue ?

Puis il y avait les cousins. Ils n'allaient pas manquer de faire le rapprochement. Qu'en concluraient-ils ? Allez, se rassura Samir, les cousins avaient leur matos. C'était tout ce qui les intéressait. Ils ne croiraient quand même pas… que quoi ? Que pour récupérer leur carton Samir avait dû trucider un type qui passait par là ?

Il sortit de sa poche le téléphone portable qu'il avait volé. Un bel appareil, qui valait sûrement son paquet de dollars. Le plus étrange, c'était qu'il n'était toujours pas déchargé. Samir aurait pu s'en servir. Il n'osait pas. Quelque chose l'avertissait : attention danger !

Une fois encore, Samir chercha la marque du portable. Mais il n'y avait rien d'autre qu'un petit logo. Un *M* inscrit dans un cercle strié de quelques méridiens, comme aurait dit le prof d'histoire-géo. Bref, c'était la Terre.

Ça ne lui disait rien. Sans doute une marque étrangère. Pourtant, à la réflexion, il était convaincu de l'avoir déjà vu quelque part, ce *M* sur fond de globe terrestre.

Chez les Badach, c'était l'heure de la leçon de lecture. Majid était devenu le professeur de sa mère. Emmé reconnaissait maintenant au premier coup d'œil toutes les syllabes simples. Le problème, avec le français, c'est que la plupart des syllabes sont compliquées. Assise auprès de Majid, Emmé scrutait l'écran d'un air désemparé.

— Tout ça ci pareil ? s'étonna-t-elle.

Majid le lui confirma. *Un*, *in*, *ain*, *ein*… tout ça, c'était pareil.

— Comme *un* ? dit-elle en levant le pouce.

— Oui.

Majid, lui aussi, se sentait faire des progrès. Ces mots qu'il prétendait apprendre à sa mère, il les apprenait en même temps.

— Ci encore pire que les *an* et les *en*, décréta Emmé.

Elle pinça la bouche et ajouta :

— Moi, je crois que ci exprès. Y a que les Français qui z'y arrivent.

— Oh non, même Sébastien, il fait des fautes et…

Majid s'interrompit, désarçonné par le bruit dégoûtant que venait d'émettre Emmé.

— Bon, on continue ? demanda-t-il.

Il sursauta. Emmé avait recommencé.

— Ci une horreur ! s'écria-t-elle.

Elle jeta sur la table la petite boule qu'elle tenait dans la main gauche.

— Qu'est-ce que tu fabriques ?

— Ci la pâte à prout, dit Emmé en fronçant le nez.

— Emmé ? s'inquiéta Majid. Ça va ?

Sa mère regardait la chose avec surprise, comme si elle avait du mal à s'en expliquer la présence.

— C'itait les promotions, Majid. Et moi j'ai acheté la pâte à prout. Ci comme ça les promotions, ci…

Elle soupira, incapable de conclure. Majid se tordait de rire sur sa chaise. Au fond, il était ravi. Cela faisait un moment qu'il songeait à s'en acheter.

— Tu t'es fait avoir, oui ! se moqua-t-il.

— Majid ! gronda Emmé. Arrête ! Arrête tit de suite !

— Si on peut plus rigoler, protesta Majid.

Mais sa mère ne pensait plus à la pâte à prout. Sévère, elle posait un regard noir sur l'écran de l'ordinateur.

GOLEM, affichait-il en grandes lettres. Le jeu était de retour. Le jeu l'appelait !

— Emmé ! supplia Majid. Je l'ai mérité. C'est trop injuste.

— Pas encore, Majid, pas encore.

Il savait bien que, quand le jeu avait décidé de s'incruster, on ne pouvait s'en débarrasser qu'en fermant tout et en réinitialisant la machine. Majid appuya à contrecœur sur le bouton *reset*.

Il avait un clavier tout neuf, offert par Jean-Hugues. Il avait une imprimante dernier cri, oubliée par les baudets. Il avait un ordinateur comme il n'en existait pas deux dans la cité, un ordinateur de la marque Nouvelle Génération MC, symbolisée par ce M sur fond de planète Terre. Et il ne pouvait pas s'en servir.

Pendant ce temps, Caliméro flirtait avec Natacha. Mais au fond, pourquoi Majid ne rendrait-il pas une visite de politesse à son prof de français ?

Voilà pourquoi, ce samedi, Caliméro et Magic Berber se trouvaient coude à coude devant l'écran. Depuis près d'une heure, ils se promenaient dans le monde de Golémia sur lequel régnait Natacha. Soudain, Majid s'étira en bâillant pour se délasser et c'est alors qu'il aperçut sur l'étagère toute une série de petits pots.

— Mais c'est la vérole, ce truc-là ! s'exclama-t-il.

— Pardon ? fit Jean-Hugues.

Son élève lui désigna la pâte à prout Mondialo.

— Tu l'as confisquée, devina Majid.

— Oui, à ma mère.

Majid médita l'information pendant un instant.

— Ça les ravage, les promotions, conclut-il, en envoyant la pâte à prout fluo sur l'étagère.

Un peu avant sept heures du soir, Majid avait téléphoné à sa mère pour la prévenir qu'il rentrerait tard. Il n'était pas sûr que Emmé ait vraiment gobé son histoire de cours particulier avec M. de Molenne mais enfin…

À huit heures, ils avaient grignoté des sandwiches.

Et maintenant, après avoir longuement accompagné le dragon Bubulle dans les labyrinthes de Golémia, ramassant ici et là points de vie et pièces d'or pour acheter des pouvoirs, ils contemplaient Natacha, admiratifs.

— Bon, alors, demanda Majid, tu lui as déjà acheté des pouvoirs ?

— Elle saute 1,80 mètre en hauteur et elle court le 100 mètres en 12 secondes, plaisanta Jean-Hugues.

— C'est pas vrai que t'en as fait une sportive ? s'indigna Majid. La honte !

— Il lui faut un métier, à cette jeune personne. J'ai pensé que prof d'EPS…

Majid leva les yeux au ciel.

— Elle peut avoir tout, Natacha, et toi… C'est comme si Dieu, au lieu de faire les étoiles et la mer, il aurait fait… la cité des Quatre-Cents !

— Bon, bon, concéda Jean-Hugues. Je pensais aussi lui conférer un don d'invisibilité. C'est pratique, non ?

— Une supercanon comme ça, ça serait dommage si on pourrait plus la voir !

Au terme de négociations animées, ils décidèrent que Natacha serait tendre mais qu'il ne faudrait pas lui marcher sur les pieds ; intelligente mais pas prétentieuse ; sportive mais pas prof d'EPS ; elle aimerait le cinéma, la lecture et les motos ; elle n'achèterait jamais de pâte à prout ; elle ferait bien la cuisine ; elle ne voudrait pas d'enfants pour le moment.

Enfin, dans la catégorie des « pouvoirs », il fut convenu que Natacha resterait visible (et plutôt deux fois qu'une) mais qu'elle aurait la possibilité de voir dans le noir. Et aussi, pendant qu'on y était, qu'elle serait capable de respirer sous l'eau.

— Je ne suis pas certain que tout ça soit prévu dans le programme, objecta Jean-Hugues, retrouvant un instant sa lucidité.

— Regarde, souffla Majid.

Tournée vers eux, la créature électronique tendait les bras, avec un sourire à dégeler la banquise.

— On dirait qu'elle veut nous rejoindre, certifia le gamin.

Jean-Hugues ne put qu'acquiescer. Il cliqua sur l'écran, soudain impatient de reprendre le jeu. Mais il avait cliqué sans réfléchir, alors que la petite flèche animée par la souris clignotait sur une grosse porte de bois, au fond de la chambre…

Aussitôt, la porte s'ouvrit.

Et ils déferlèrent.

Une horde, une meute furieuse. Comme s'ils s'étaient tous tenus là, aux aguets, derrière la porte fermée.

— Natacha ! hurla Jean-Hugues.

— Bats-toi, mais bats-toi ! brailla Majid.

Il n'y avait pas deux monstres pareils. Diable à queue fourchue, nain hystérique, larve rampante, cyclope à face hilare, chevalier sans tête, sorcière aux ongles noirs, serpent à pattes, grenouille à cou de girafe, mâchoires sans corps, chose visqueuse…

et il en arrivait d'autres, sans cesse d'autres. Tous se précipitaient sur Natacha.

— Bats-toi ! trépignait Majid. Mais bute-les !

Jean-Hugues réagit enfin. Il enfonça touche après touche. 1, 6, flèche à droite, flèche à gauche. Des traits enflammés partirent dans toutes les directions. Il perfora, trancha, décapita, animant le petit guerrier qui le représentait.

— Bubulle, à l'aide ! appela Caliméro.

Le dragon balaya tout un coin de la pièce de son souffle brûlant, carbonisant d'un coup dix assaillants.

Mais la porte était restée ouverte. De nouvelles hordes accouraient, submergeant tout. Le petit guerrier, le dragon. Et Natacha.

Elle se débattait, tendait les bras.

Bientôt, on ne vit plus que sa jolie tête blonde. Son beau regard pailleté, empli de terreur. Puis, brusquement, l'écran se figea sur ce spectacle de désolation. En grosses lettres s'afficha la mention :

`Game over`

Ensuite, apparut la demande rituelle :

`> recommencer la partie`
`> quitter la partie`

— Recommencer, souffla Majid.

Près de lui, Jean-Hugues semblait hagard. La sueur ruisselait de son front. Majid eut même l'impression que, parmi les gouttelettes qui brillaient sur ses joues, certaines étaient des larmes.

— Rentre chez toi, Majid, dit Jean-Hugues. C'est fini pour aujourd'hui.

— Tu vas pas laisser tomber ? Il faut la refaire. Natacha, il faut la refaire.

— Oui, oui, bredouilla Jean-Hugues. Et je saurai, maintenant. La porte. Laisser la porte fermée.

Majid rentra aux Colibris. Avant de monter chez lui, il repensa à l'homme dont on avait découvert le corps dans les caves. Il se sentit gagné par l'envie irrésistible de s'approcher, d'entrer dans les lieux, de pousser la porte des sous-sols. Mais non. Ce soir, mieux valait ne pas pousser n'importe quelle porte.

Et c'est alors qu'il entendit. Comme une plainte venue des entrailles de la terre. Il se précipita vers l'escalier et monta les marches quatre à quatre.

L'appartement familial était sombre et silencieux. À cette heure, son père était rentré, avait mangé, s'était couché. Un sentiment de colère et d'injustice envahit Majid. Cet imbécile de Caliméro avait tout gâché. Il s'était montré incapable de protéger Natacha. Cette idée, d'abord, de golémiser une fille ! Dans Golem City, son monde à lui, Magic^Berber, les choses ne se seraient pas passées comme ça. Il aurait créé un super-héros, un vrai, capable de se défendre. Il lui fallait absolument reprendre le jeu. Et alors, on verrait.

Planté au milieu du salon, Majid ôta ses chaussures. Il ne parvenait pas à se résoudre à prendre le chemin du lit. Qu'est-ce qui l'empêchait de jouer maintenant, pendant que tout le monde dormait ?

Un petit bruit parvint à ses oreilles. Comme un léger ronflement. Majid fouilla du regard la pénombre du salon, étreint par une étrange angoisse. Soudain, il vit s'allumer un œil rouge, là, devant lui. Puis le souffle s'accentua. Cela ne dura que quelques secondes. Tout s'arrêta. Et il comprit. L'imprimante s'était mise en marche toute seule.

Il avança sur deux jambes flageolantes jusqu'à l'ordinateur. Une feuille blanche brillait, droite sur l'imprimante d'où elle venait de sortir. Majid la saisit d'une main moite. Il s'approcha de la fenêtre du salon pour profiter de la lumière que répandait la lune. Et il lut :

JOUE, MAGIC^BERBER, JOUE.
JE T'ATTENDS.

**Que va-t-il arriver à Jean-Hugues et à Majid
s'ils continuent de jouer à Golem ?**

**Quel est ce monstre qui hante
les caves des Colibris ?**

**Pour le savoir,
lisez la suite de GOLEM dans :**

Joke

TABLE DES MATIÈRES

Composition : Francisco *Compo*
61290 Longny-au-Perche

Impression réalisée par

C P I
Brodard & Taupin

La Flèche (Sarthe), le 08-01-2009
N° d'impression : 50554

Dépôt légal : avril 2002

Suite du premier tirage : janvier 2009

Imprimé en France

12, avenue d'Italie

75627 PARIS Cedex 13